Auteurs

Carole Saundry
Sharon Jeroski
Heather Spencer
Michelle Jackson
Maureen Dockendorf
Sandra Ball
Maggie Martin Connell
Jill Norman
Linden Gray
Susan Green

Consultante à l'édition française

Wilda Audet

Traduit de l'anglais par

Nadia Leroux

Chenelière Mathématiques 2

Traduction de : *Math Makes Sense 2* de Carole Saundry et coll.
© 2005 Pearson Education Canada Inc., Toronto, Ontario
(ISBN 0-321-11814-6).

Édition : Martine Des Rochers
Coordination : André Paquet
Révision linguistique : Nicole Blanchette
Correction d'épreuves : Isabelle Rolland
Infographie : Claude Bergeron

Conception graphique : Word & Image Design Studio Inc.

Sources

Illustration de la page couverture : Marisol Sarrazin

Illustrations

Kasia Charko, p. 253 ; Virginie Faucher, p. 141, 214-234 ; Marie-Claude Favreau, p. 1-12, 75-86, 177-188, 269-280 ; Eugenie Fernandes, p. 193 ; Joanne Fitzgerald, p. 88-90, 236-252 ; Leanne Franson, p. 153 ; Linda Hendry, p. 115-132 ; Tina Holdcroft, p. 53-61, 63, 66-71, 73, 74, 154-176 ; Vesna Krstanovic, p. 27-29, 31-49, 52, 194-212, 217 ; André Labrie, p. 13-26 ; Bernadette Lau, p. 50, 51, 200 ; Paul McCusker, p.64, 65, 104, 107, 151 ; Marc Mongeau, p. 213, 235 ; Allan Moon, p. 11, 30, 43, 44, 61-63, 72, 74, 118, 119, 121, 122, 135, 137-140, 144-149, 208, 209 ; Scott Ritchie, p. 91-94, 96-103, 105-109, 111, 112, 114, 190-192, 254-268, 281-284 ; Bill Slavin, p. 133-152 ; Pat Stephens, p. 95 ; Neil Stewart, Les mathématiques à la maison

Photographies

Ray Boudreau, p. 87-90, 189-190, 192, 281

7001, boul. Saint-Laurent
Montréal (Québec)
Canada H2S 3E3
Téléphone : (514) 273-1066
Télécopieur : (514) 276-0324
info@cheneliere-education.ca

ISBN 2-7650-0471-4

Dépôt légal : 1er trimestre 2005
Bibliothèque nationale du Québec
Bibliothèque nationale du Canada

Imprimé au Canada

1 2 3 4 5 ITIB 09 08 07 06 05

Nous reconnaissons l'aide financière du gouvernement du Canada par l'entremise du Programme d'aide au développement de l'industrie de l'édition (PADIÉ) pour nos activités d'édition.

Gouvernement du Québec — Programme de crédit d'impôt pour l'édition de livres — Gestion SODEC

L'Éditeur a fait tout ce qui était en son pouvoir pour retrouver les copyrights. On peut lui signaler tout renseignement menant à la correction d'erreurs ou d'omissions.

Table des matières

Consultants

Consultants

Craig Featherstone
Maggie Martin Connell
Trevor Brown

Consultant en évaluation
Sharon Jeroski

Consultant en mathématiques au primaire
Pat Dickinson

Conseillers pédagogiques en mathématiques au primaire
John A. Van de Walle
Carole Saundry *(Colombie-Britannique)*
Ruth Dawson *(Ontario)*

Consultants à l'édition française pour la collection

Marcel Martin
(Ontario)

Michel Perron
(Ontario)

Roland Pantel
(Manitoba)

Diane Gervais
(Ontario)

Francine Charette-Poirier
(Ontario)

Allan Wilson
(Colombie-Britannique)

Catherine Hamel
(Colombie-Britannique)

Roxane Parent
(Ontario)

Richard Rice
(Nouveau-Brunswick)

Wilda Audet
(Ontario)

Ann Donahue
(Colombie-Britannique)

Conseillers pour la collection

Ont participé aux discussions, à la révision et aux expérimentations liées au matériel de la collection :

Anthony Azzopardi
Bob Belcher
Judy Blake
Steve Cairns
Daryl Chichak
Lynda Colgan
Marg Craig
Jennifer Gardner
Florence Glanfield
Pamela Hagen
Dennis Hamaguchi
Angie Harding
Peggy Hilll
Auriana Kowalchuk
Gordon Li
Werner Liedtke
Jodi Mackie
Kristi Manuel
Lois Marchand
Cathy Molinski
Bill Nimigon
Eileen Phillips
Evelyn Sawicki
Shannon Sharp
Lynn Strangway
Mignonne Wood

Réviseurs pour la 2e année

Anne Boyd
Bob Belcher
Judy Blake
Trevor Brown
Ralph Connelly
Marg Craig
Ruth Dawson
Lorelei Gibeau
Werner Liedtke
Lois Marchand
Livia Paradis
Gillian Parsons
Lynn Strangway
Roz Thomson

Réviseurs autochtones

Steven Daniel
Liz Fowler
Margaret Erasmus

« C'est l'heure ! » dit la grand-maman d'Éloi.
« Ouvre les yeux et lève-toi.
Je viens avec toi aujourd'hui.
Tu vas dans une nouvelle école tout près d'ici. »

« J'ai peur », dit Éloi qui mange sa rôtie.
« Je n'aurai pas d'amis. »
Éloi déteste changer d'école.
Grand-maman lève les yeux au ciel.
« Tu vas te faire de *nouveaux* amis », lui répond-elle.

L’enseignante salue les élèves d’un air enjoué et accueille Éloi dans la classe de 2e année. Les chaises et les tables sont bien rangées. Éloi regarde autour de lui. « Où puis-je m’installer ? »

L'enseignante lui fait un signe.
« Il y a une chaise là-bas.
Tu peux t'asseoir avec ces deux élèves-là.
Ta grand-maman peut s'asseoir aussi,
si elle veut rester avec toi aujourd'hui. »

« Voulez-vous nous aider ? » demande l'enseignante à grand-maman.
« Nous apprenons des jeux mathématiques amusants. Il y a du matériel à partager, des règles à apprendre, des jetons à déplacer et... son tour à attendre ! »

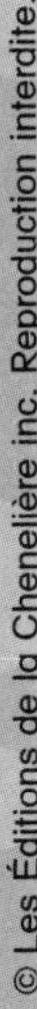

L’enseignante explique le jeu aux élèves.
Puis, elle répète certaines règles.
« Avez-vous des questions ? demande-t-elle. Levez la main. »
« Non, nous comprenons », répond la classe avec entrain.

À la récréation, grand-maman doit repartir chez elle.
« Vous êtes la meilleure classe de 2e année », dit-elle.
Elle salue de la main tous ses nouveaux amis.
Ils lui disent : « Revenez nous voir, et merci ! »

L'histoire

Les élèves ont lu cette histoire en classe pour se préparer à faire l'activité mathématique **Les détectives I.** Ils ont déjà joué à divers jeux mathématiques et inventé des histoires d'addition et de soustraction. Cette activité permet à l'enseignante ou à l'enseignant d'en apprendre plus sur la compréhension et les compétences des élèves en ce début d'année scolaire.

Discutons ensemble

- Comment Éloi se sentait-il avant de partir pour sa première journée d'école ?
- À ton avis, comment seront les leçons de mathématiques d'Éloi ? Pourquoi ?
- Que fait l'enseignante d'Éloi pour aider les élèves à travailler ensemble ?
- Quelles sont les ressemblances entre la classe d'Éloi et ta classe ? Quelles sont les différences ?

Le coin lecture

Visitez la bibliothèque pour trouver des livres liés aux mathématiques qui conviennent à des élèves de 2e année.

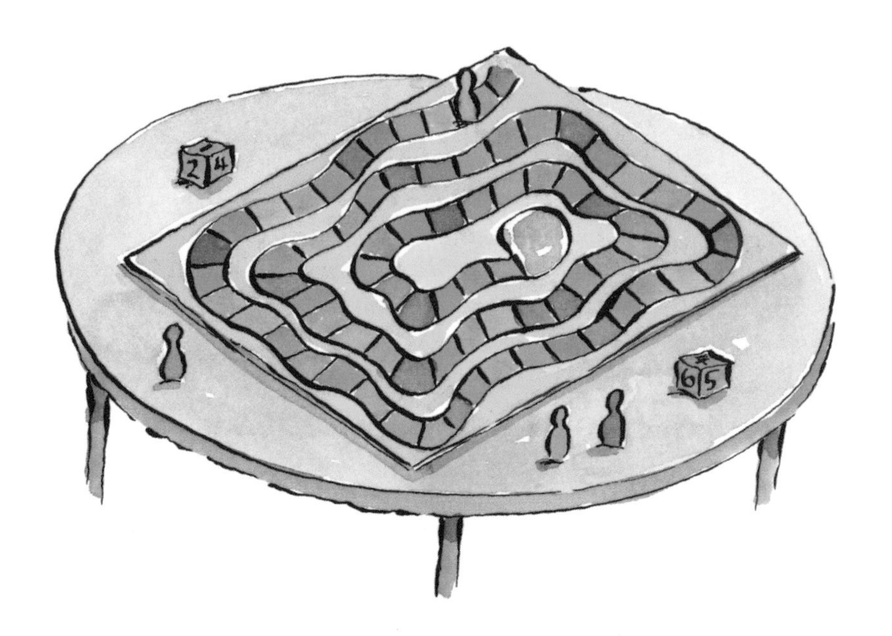

Grand-maman donne un coup de main

Les détectives
1

Invente une histoire de nombres à partir de l'image.
Raconte ton histoire avec des dessins, des nombres ou des mots.

La course jusqu'à 100 !

Jette 2 dés numérotés.
Additionne les nombres.
Prends un nombre de cubes emboîtables égal à la somme.

Quand tu as 10 cubes, construis une réglette de 10.
Arrête quand tu as 10 réglettes. Tu as alors 100 cubes !

Fais une estimation. Combien de fois dois-tu jeter les dés pour avoir 100 cubes ?
Montre ton raisonnement avec des dessins, des nombres ou des mots.

Note tes résultats. Fais un ✔ chaque fois que tu jettes les dés.
Quand tu as 100 cubes, compte les ✔.

Combien de fois as-tu jeté les dés en tout ? ________

Une superbe structure !

Utilise une roulette.
Essaie de construire la plus haute structure possible.
Tu peux faire tourner la flèche 10 fois. Quelle roulette choisis-tu ?

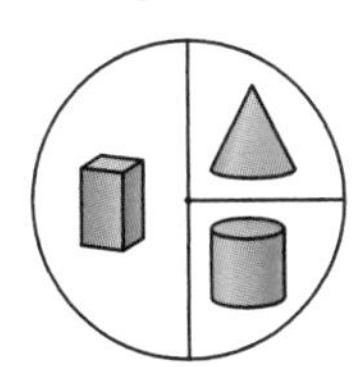 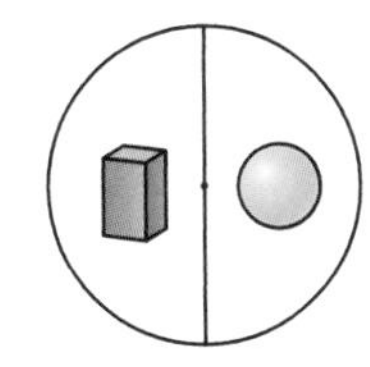 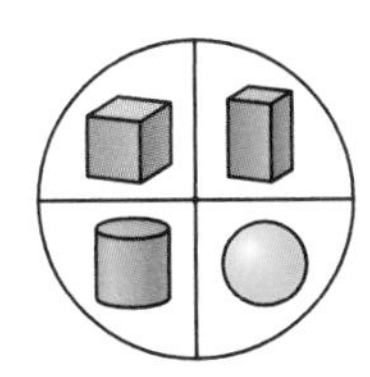

Montre ton raisonnement avec des dessins, des nombres ou des mots.

Fais tourner la flèche de la roulette 10 fois.
Chaque fois, prends le solide représenté sur la roulette.
Note le nombre de solides de chaque sorte que tu as amassés.

Les solides	Les solides amassés	Les solides utilisés
cône		
cylindre		
sphère		
cube		
prisme		

Utilise ta réglette de 10 pour mesurer ta structure.

Quelle est sa hauteur ? _______ réglettes de 10

Un jeu amusant

Invente ton propre jeu mathématique. Utilise des roulettes, des dés numérotés, des jetons, des solides ou d'autres objets que tu aimes.

Explique les règles de ton jeu.

De quoi as-tu besoin pour jouer à ton jeu ?

Écris les règles de ton jeu.

Apprends aux autres élèves comment jouer à ton jeu.

Je classe et je fais des suites

OBJECTIF | Les élèves discutent du classement des outils et des autres objets dans l'image.

Nom : ______________________ Date : ______________________

Chers parents, tuteur ou tutrice,

Votre enfant commence un module de mathématiques sur le classement d'objets et les suites.

Voici les objectifs d'apprentissage de ce module :

- Classer des objets selon des attributs observables (par exemple, la taille, la couleur, la forme).
- Décrire, prolonger et dessiner des suites.
- Déterminer la règle qui définit une suite.
- Utiliser deux attributs pour construire une suite.

Vous pouvez aider votre enfant à atteindre ces objectifs en faisant à la maison les activités suggérées au bas de certaines pages.

Nom : ______________________________ Date : ______________________________

Un peu de ménage

Aide la menuisière à ranger son établi.

OBJECTIF | Les élèves déterminent la façon de classer les objets dans les boîtes ; ils colorient chaque objet de la couleur de la boîte correspondante. Les réponses peuvent varier.

Nom : ______________________________ Date : ______________________________

Je trouve la règle

Étiquette chaque case pour décrire la règle de classement.

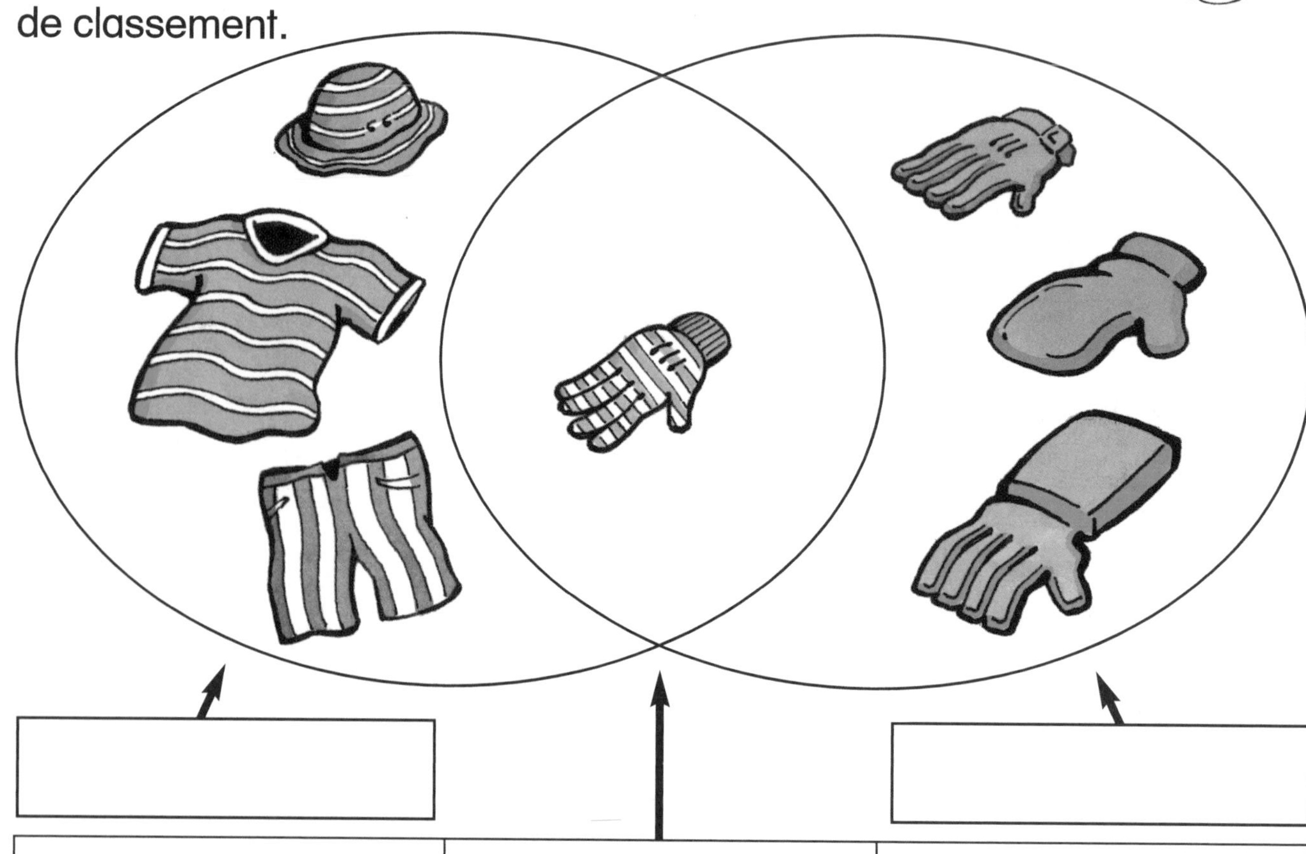

Dessine un autre vêtement qui va dans le premier ensemble.	Dessine un autre vêtement qui va dans les deux ensembles.	Dessine un autre vêtement qui va dans le deuxième ensemble.

OBJECTIF Les élèves déterminent la règle de classement et étiquettent les ensembles. Ils dessinent ensuite un autre vêtement qui va dans chaque ensemble.

À LA MAISON 

Demandez à votre enfant : « Pourquoi classons-nous les vêtements avant de les laver et de les ranger ? Que classons-nous d'autre ? »

Nom : ______________________ Date : ______________________

Je fais mes propres suites

Utilise des blocs logiques.
Fais une suite avec 2 attributs. Dessine-la.

Encercle la partie répétitive de ta suite.
Écris les attributs variables. ______________ ______________

Utilise les 2 mêmes attributs.
Fais une suite différente. Dessine-la.

Encercle la partie répétitive de ta suite.
Quelles sont les ressemblances entre les 2 suites ?

____

Quelles sont les différences entre les 2 suites ?

____

OBJECTIF | Les élèves font des suites à deux attributs variables, puis les dessinent.

Nom : ______________________ Date : ______________________

Qu'est-ce qui change ?

Encercle la partie répétitive de chaque suite.
Nomme les 2 attributs qui changent dans chaque suite.

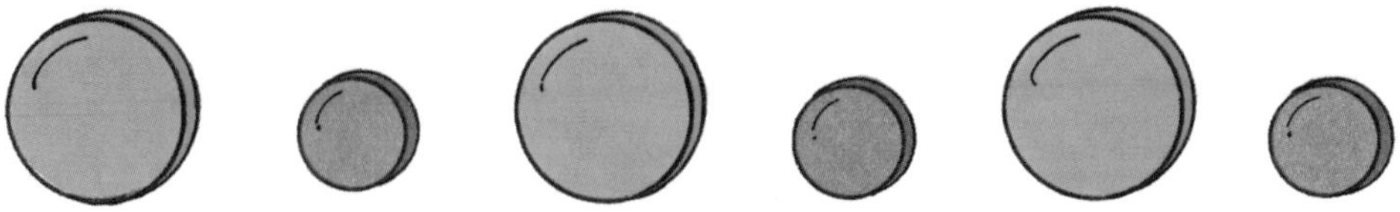

______________________ ______________________

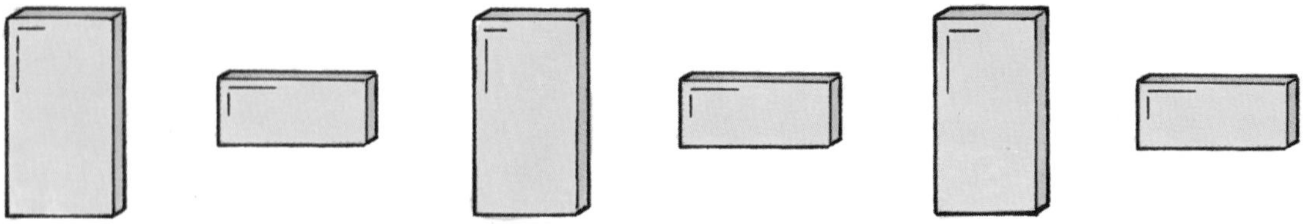

______________________ ______________________

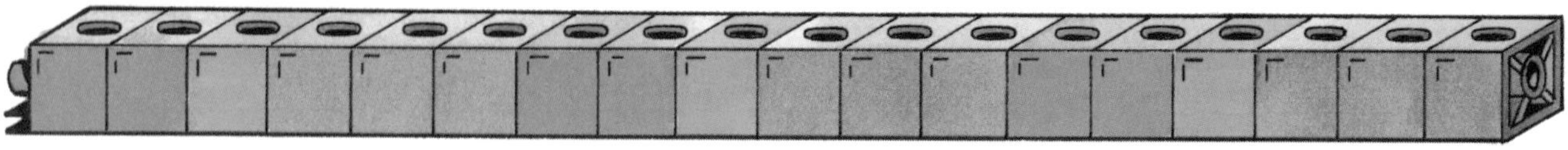

______________________ ______________________

Fais une suite. Dessine-la.

OBJECTIF | Les élèves reconnaissent deux attributs variables dans des suites. Ils font ensuite leur propre suite.

Nom : ______________________ Date : ______________________

Mes suites

Fais une suite avec 6 triangles et 9 carrés.

Regarde la suite d'une ou d'un camarade.
Quelles sont les ressemblances entre vos suites ?

____

Quelles sont les différences entre vos suites ?

____

Comment as-tu su de quelle façon placer les formes ?

____

____

À LA MAISON 

Invitez votre enfant à faire une suite de deux façons avec de grands cercles rouges et de petits cercles verts. Demandez-lui : « Quelles sont les ressemblances entre les deux suites ? Quelles sont les différences ? »

OBJECTIF Les élèves font des suites à deux attributs variables, puis les comparent. Les réponses peuvent varier.

Nom : ______________________ Date : ______________________

Je représente une suite

Regarde cette suite de cubes emboîtables.

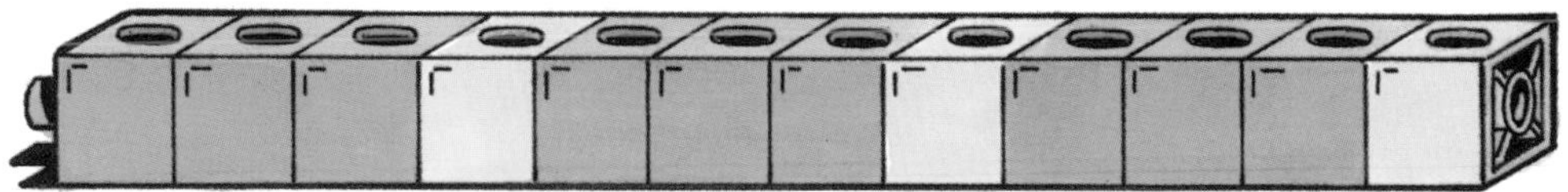

Voici une autre façon de représenter la même suite.

Dessine 2 autres façons de représenter cette suite.

OBJECTIF | Les élèves représentent une suite de différentes façons.

Nom : ______________________ Date : ______________________

Des suites de dessins

Fais des dessins pour représenter les suites.

grand, petit ; grand, petit ; grand, petit

rouge, bleu, vert ; rouge, bleu, vert ; rouge, bleu, vert

Décris ta propre suite avec des mots.

____

____

Demande à une ou à un camarade de dessiner ta suite.

À LA MAISON

Cherchez des suites avec votre enfant à la maison.
Demandez-lui de représenter chaque suite par un dessin.

OBJECTIF | Les élèves représentent des suites de mots avec des dessins.

Nom : ______________________ Date : ______________________

Quelle est la suite ?

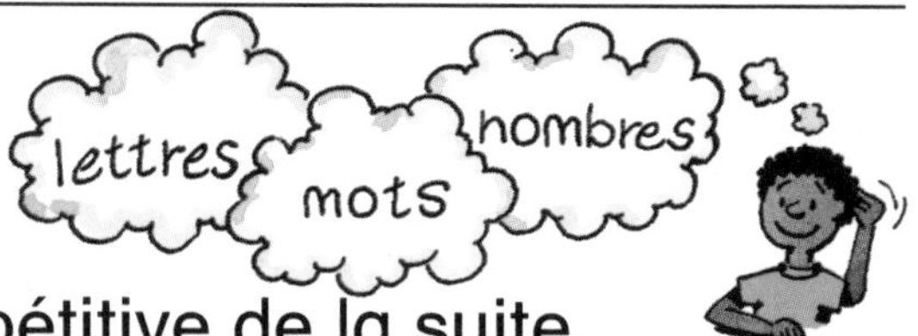

Utilise des mots pour décrire la partie répétitive de la suite.

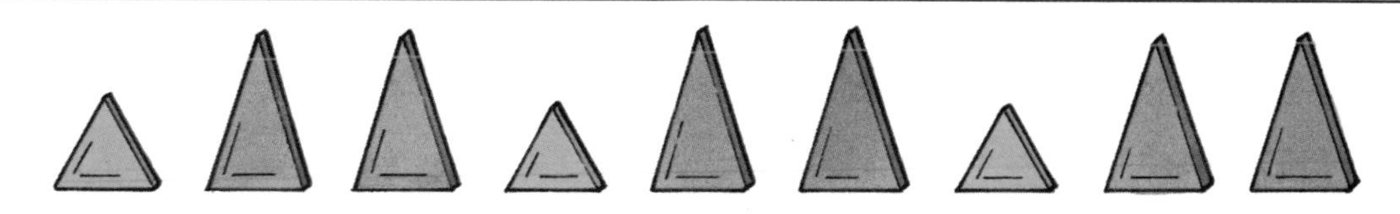

____

Utilise des lettres pour écrire la suite.

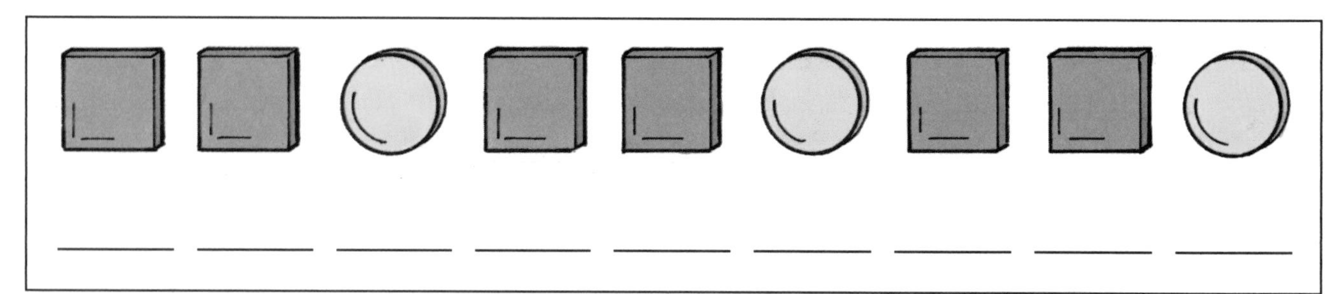

___ ___ ___ ___ ___ ___ ___ ___ ___

Utilise des nombres pour écrire la suite.

___ ___ ___ ___ ___ ___ ___ ___ ___ ___ ___ ___

Dessine une suite. Demande à une ou à un camarade d'écrire la suite d'une autre façon.

____

OBJECTIF | Les élèves représentent des suites de différentes façons. Les réponses peuvent varier.

Nom : ______________________ Date : ______________________

Ma suite de perles

Il y a 9 perles rouges, 3 perles vertes et 6 perles bleues.

Fais une suite.
Utilise toutes les perles.

Montre ton raisonnement avec des dessins, des nombres ou des mots.

OBJECTIF | Les élèves font une suite avec toutes les perles. Les réponses peuvent varier.

Nom : ______________________________ Date : ______________________________

Encore des perles !

Il y a 3 perles bleues, 6 perles rouges et 6 perles vertes.

Fais une suite.
Utilise toutes les perles.

Montre ton raisonnement avec des dessins, des nombres ou des mots.

À LA MAISON 

Demandez à votre enfant : « Peux-tu faire une suite différente avec toutes les perles ? Montre-moi ton travail. »

OBJECTIF | Les élèves font une suite avec toutes les perles. Les réponses peuvent varier.

Nom : ______________________ Date : ______________________

Une suite pour mon napperon

Dessine une suite pour décorer ton napperon. Décris-la.

____

____

OBJECTIF | Les élèves dessinent les suites qu'ils ont utilisées, puis les décrivent.

À LA MAISON 

Avec votre enfant, faites une suite de crayons de cire, de marqueurs, d'autocollants, de crayons ou d'autres objets. Changez l'ordre et faites une autre suite.

Nom : ______________________ Date : ______________________

Mon journal

Écris ce que tu as appris sur le classement selon 2 attributs.

____

____

____

____

____

Écris ce que tu as appris sur la construction de suites selon 2 attributs.

____

____

____

____

____

____

OBJECTIF | Les élèves réfléchissent à ce qu'ils ont appris sur le classement et les suites.

Je fais des liens entre les nombres

OBJECTIF | Les élèves discutent de l'image et comptent les objets.

Nom : ______________________ Date : ______________________

Chers parents, tuteur ou tutrice,

Ce module permettra à votre enfant d'approfondir sa compréhension des relations entre les nombres, de la numération et de la valeur de position.

Voici les objectifs d'apprentissage de ce module :

- Lire et écrire en lettres les nombres jusqu'à 20.
- Représenter des nombres avec du matériel concret.
- Estimer le nombre d'objets et vérifier l'estimation en comptant.
- Compter jusqu'à 100 et compter à rebours à partir de 20 avec une droite numérique, une grille de 100 et une calculatrice.
- Compter par 1 et par intervalles de 2, de 5, de 10 et de 25.
- Élaborer des stratégies pour additionner et soustraire.

Vous pouvez aider votre enfant à atteindre ces objectifs en faisant à la maison les activités suggérées au bas de certaines pages.

Nom : ______________________ Date : ______________________

Combien y en a-t-il ?

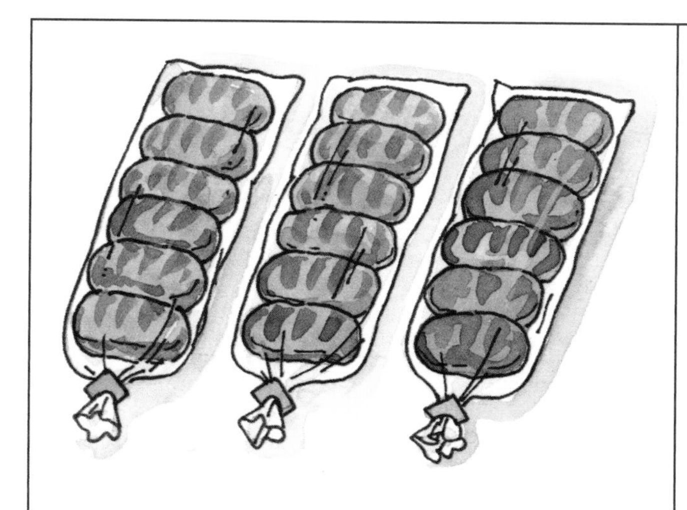

_________ petits pains

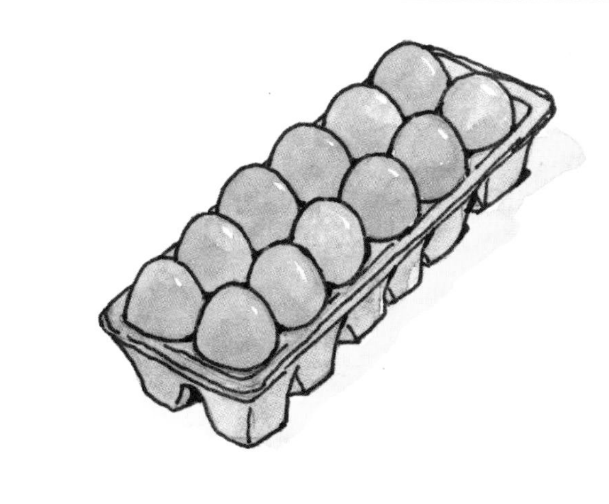

_________ oeufs

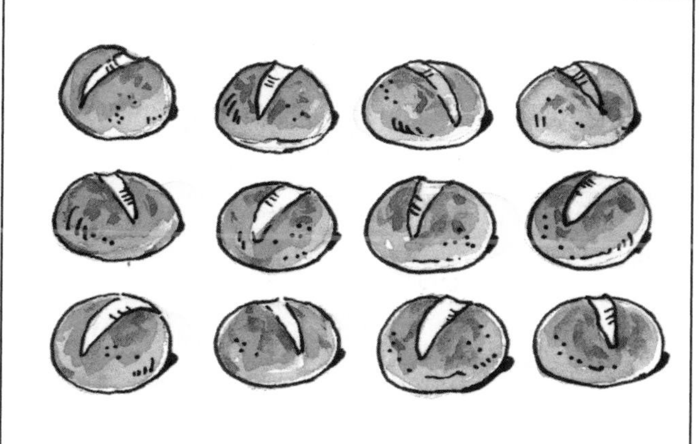

_________ brioches

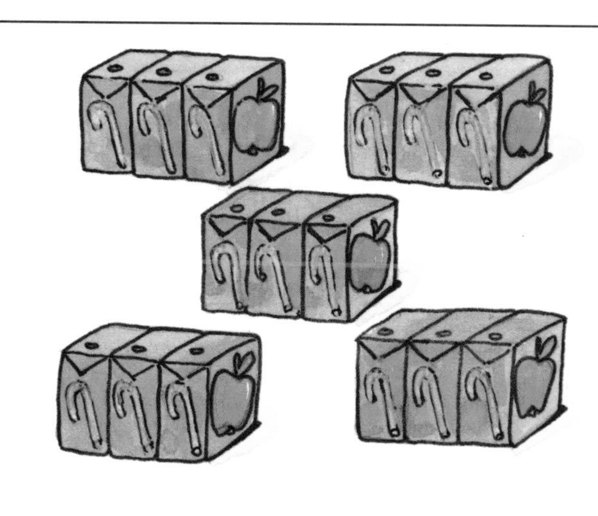

_________ boîtes de jus

Quels groupes représentent le même nombre ?

____

Comment le sais-tu ?

____

OBJECTIF | Les élèves comptent les objets dans chaque groupe et écrivent le nombre. Ils déterminent ensuite les groupes qui représentent le même nombre.

Nom : ______________________ Date : ______________________

Les nombres jusqu'à 20

Dessine des jetons pour représenter les nombres.
Écris ensuite les nombres en chiffres.

douze

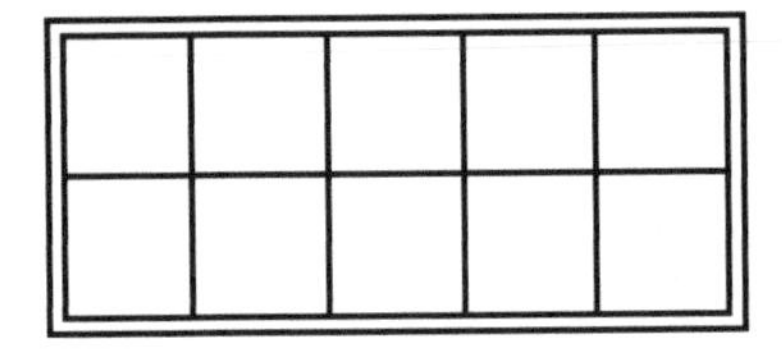 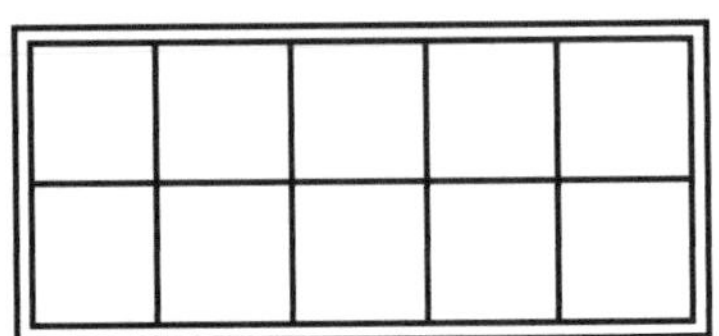

_____ est égal à 10 plus _____

dix-neuf

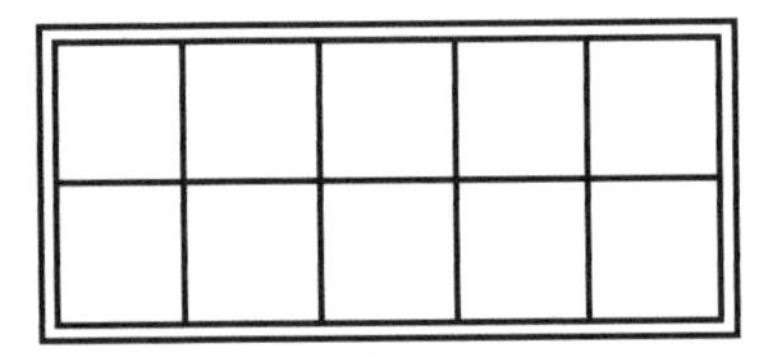 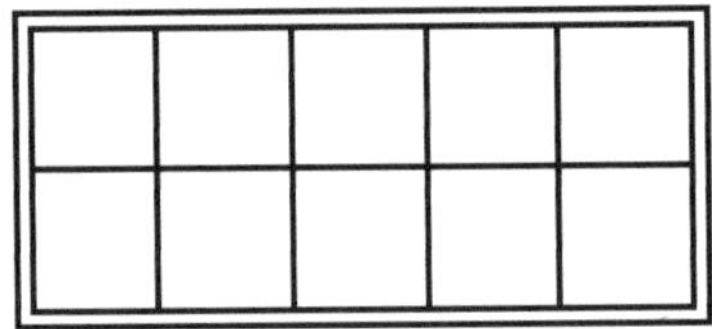

_____ est égal à 10 plus _____

quatorze

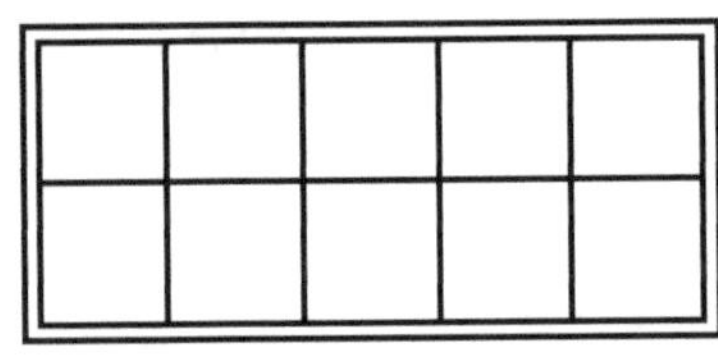 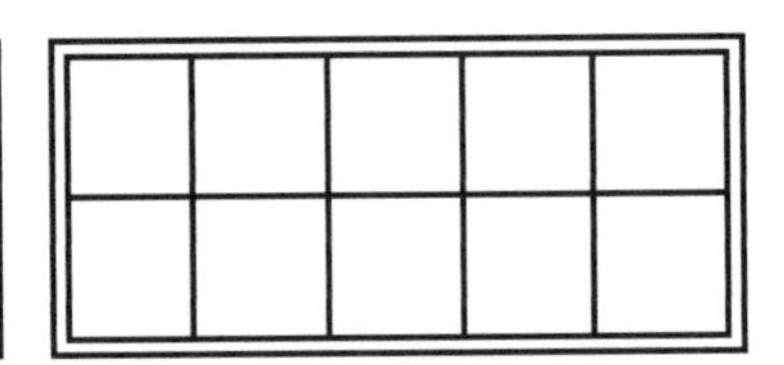

_____ est égal à 10 plus _____

Écris les nombres en lettres. Puis écris-les en chiffres.

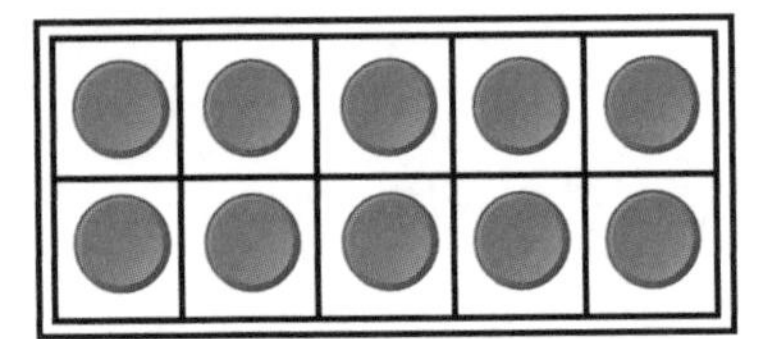 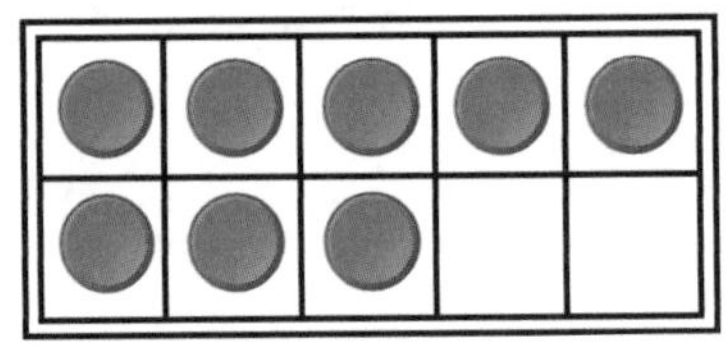

____

_____ est égal à 10 plus _____

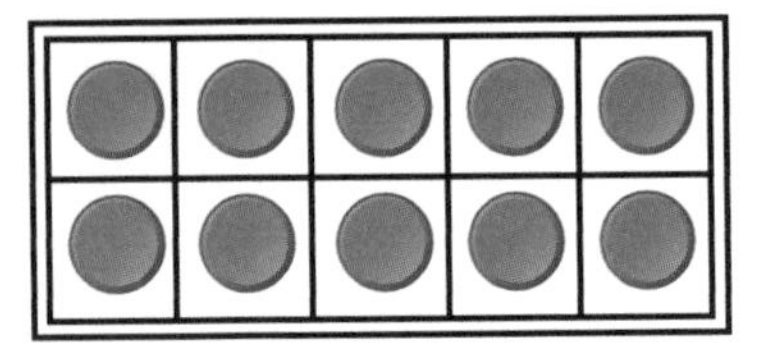 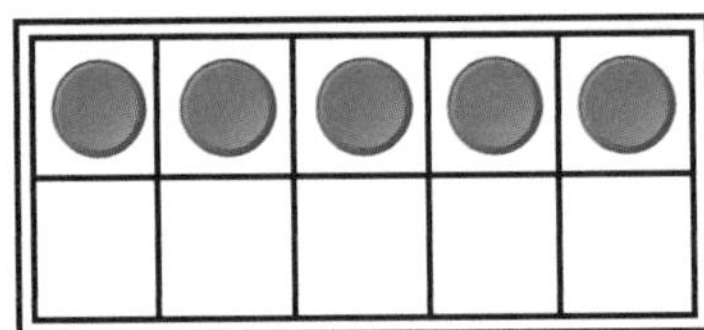

____

_____ est égal à 10 plus _____

À LA MAISON

Invitez votre enfant à vous expliquer comment utiliser une grille de 10. Par exemple : « Comment montres-tu le nombre 11 ? Comment montres-tu le nombre 17 ? »

OBJECTIF | Les élèves utilisent des grilles de 10 pour écrire et nommer des nombres jusqu'à 20.

Nom : ______________________ Date : ______________________

Je compte de deux façons

Disperse les objets. Estime leur nombre. _______
Compte tous les objets.

Commence à compter, puis regarde ton estimation.
Si tu veux, fais une nouvelle estimation. _______

Explique comment tu as compté. Utilise des dessins, des nombres ou des mots.

Disperse les objets de nouveau. Compte-les d'une autre façon.
Explique comment tu as compté. Utilise des dessins, des nombres ou des mots.

OBJECTIF | Les élèves estiment le nombre d'objets dans un ensemble qui peut en contenir jusqu'à 50 et les comptent de deux façons. Ils expliquent comment ils ont compté avec des dessins, des nombres ou des mots.

Nom : ______________________ Date : ______________________

Je compte les boutons

Combien y a-t-il de boutons dans l'image ? _______

Montre comment tu as compté. Utilise des dessins, des nombres ou des mots.

De quelle autre façon peux-tu compter les boutons ?

____

____

Objectif | Les élèves comptent les boutons d'un ensemble avec leurs propres stratégies.

À LA MAISON 

Formez un ensemble d'environ 40 petits objets que votre enfant pourra compter (par exemple, des raisins secs, des pièces de 1 ¢). Invitez votre enfant à compter les objets en les groupant de différentes façons.

Nom : ______________________ Date : ______________________

Les nombres manquants

Écris les nombres manquants sur les droites numériques.

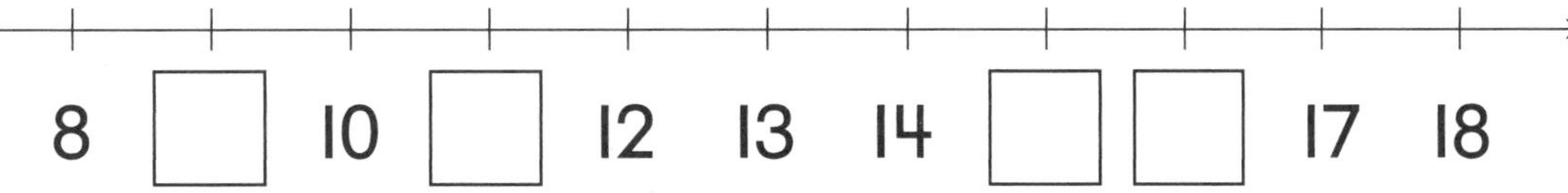

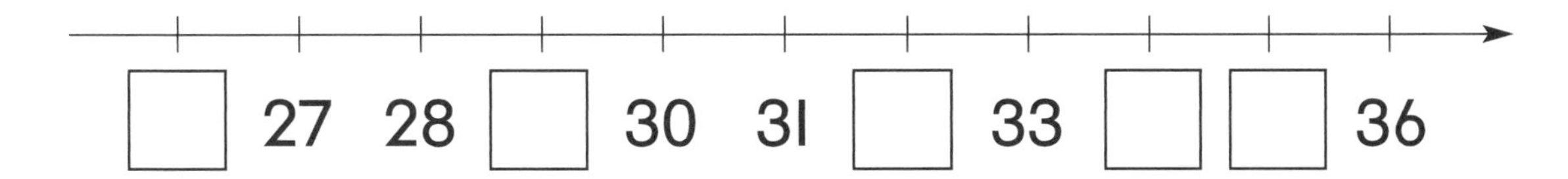

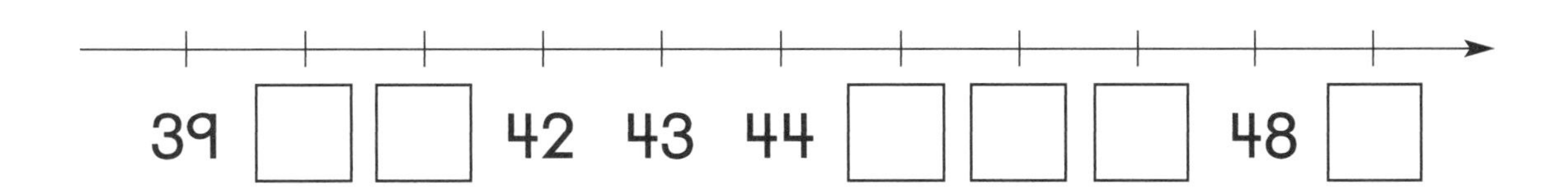

Lis les nombres écrits en lettres. Écris-les en chiffres sur la droite numérique.
quinze, dix-huit, vingt, vingt-deux

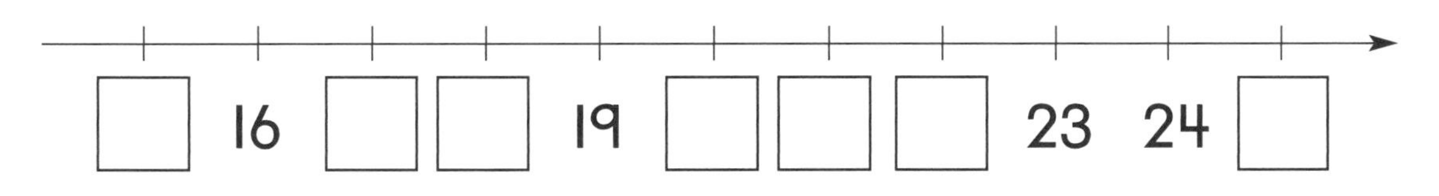

Quels nombres manque-t-il encore ? ______________________
Écris ces nombres sur la droite numérique.

OBJECTIF Les élèves complètent les droites numériques en écrivant les nombres manquants.

À LA MAISON 
Aidez votre enfant à trouver des exemples d'utilisation des droites numériques, comme un thermomètre ou l'échelle d'une carte géographique.

Nom : ______________________ Date : ______________________

J'écris des énoncés mathématiques

Écris chaque énoncé mathématique.

_____ + _____ = _____

_____ + _____ = _____

_____ − _____ = _____

_____ − _____ = _____

Mon énoncé mathématique

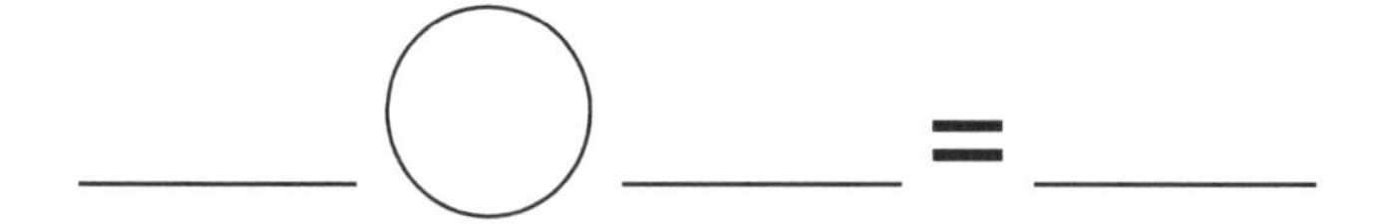

_____ ◯ _____ = _____

Objectif | Les élèves écrivent les énoncés mathématiques correspondant aux images. Ils font un dessin qui représente un énoncé mathématique.

Nom : ______________________ Date : ______________________

Une balade au jardin

Écris chaque énoncé mathématique.

Il y a 9  dans un jardin.

4 sont jaunes. Les autres sont roses.

Combien de  roses y a-t-il ? ____  ____ = ____

Il y a 13  dans un arbre.

Il en tombe quelques-unes.

Il y a maintenant 6  dans l'arbre.

Combien sont tombées ? ____  ____ = ____

Il y a 15  dans la cour.

8 sont dans un arbre.

Les autres sont perchés sur une clôture.

Combien y en a-t-il sur la clôture ? ____ 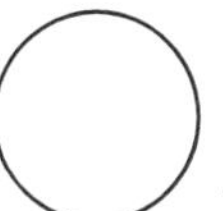 ____ = ____

Un  a mis 7  en pile.

L'écureuil amasse d'autres glands.

Il y a maintenant 16 . ____ ◯ ____ = ____

Combien de glands de plus l' a-t-il amassés ?

Les élèves écrivent un énoncé mathématique pour représenter chaque histoire d'addition et de soustraction.

À LA MAISON 

Racontez des histoires d'addition et de soustraction que vous voyez dans votre quartier. Par exemple : « Il y a 15 maisons dans notre rue. 9 maisons ont un garage. Combien de maisons n'ont pas de garage ? »

Nom : ______________________________ Date : ______________________________

Encore plus d'énoncés mathématiques !

Utilise des cubes emboîtables.
Écris les énoncés mathématiques.

______ + ______ = ______ ______ − ______ = ______

______ + ______ = ______ ______ − ______ = ______

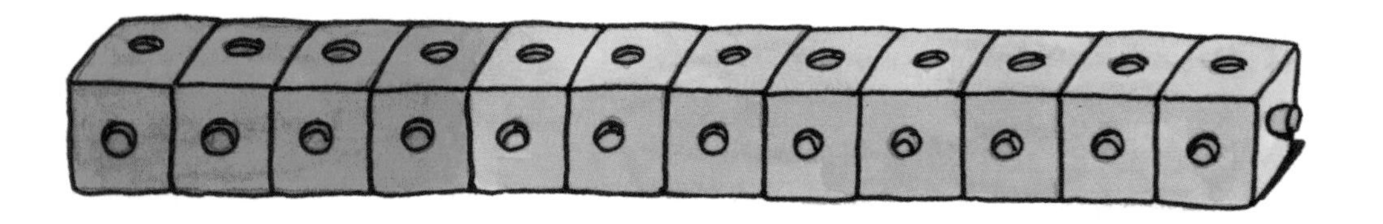

______ + ______ = ______ ______ − ______ = ______

______ + ______ = ______ ______ − ______ = ______

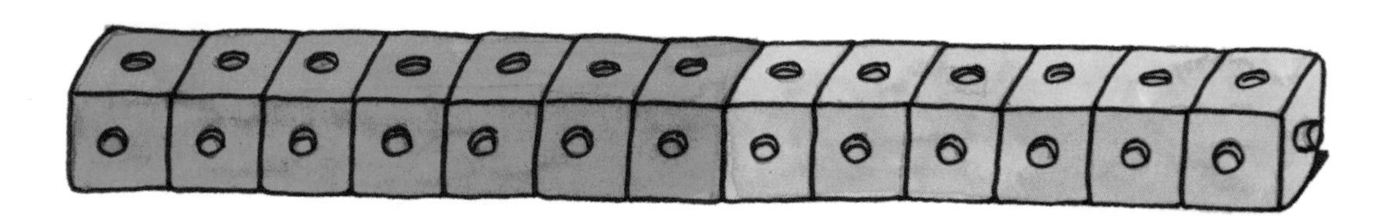

______ + ______ = ______ ______ − ______ = ______

______ + ______ = ______ ______ − ______ = ______

Comment peux-tu trouver la réponse de 13 – 6 si tu connais la réponse de 7 + 6 ? ______________________________

OBJECTIF | Les élèves écrivent des additions et des soustractions pour décrire les cubes emboîtables. Ils expliquent comment une addition peut les aider à trouver la réponse d'une soustraction.

Nom : ______________________ Date : ______________________

J'additionne et je soustrais

15	9	11	14
+ 3	+ 7	− 2	− 6
____	____	____	____

13 + 2 = _____ 13 − 5 = _____ 17 − 1 = _____ 15 − 8 = _____

Choisis un problème. Explique la stratégie que tu as utilisée pour le résoudre. Utilise des dessins, des nombres ou des mots.

Trouve les nombres manquants. Utilise des jetons pour montrer ta réponse.

15 − ☐ = 6 17 − ☐ = 8 13 − ☐ = 6 15 − ☐ = 7

À LA MAISON 

Invitez votre enfant à former un ensemble de 11 à 15 pièces de 1 ¢, puis à ajouter 1, 2 ou 3 à ce nombre. Dites-lui de compter à partir du nombre de l'ensemble pour trouver la somme. Refaites l'activité pour une soustraction.

OBJECTIF | Les élèves utilisent des stratégies pour compléter les additions et les soustractions.

Nom : ______________________ Date : ______________________

Je vois des doubles !

Termine chaque dessin pour montrer un double. Écris l'addition.

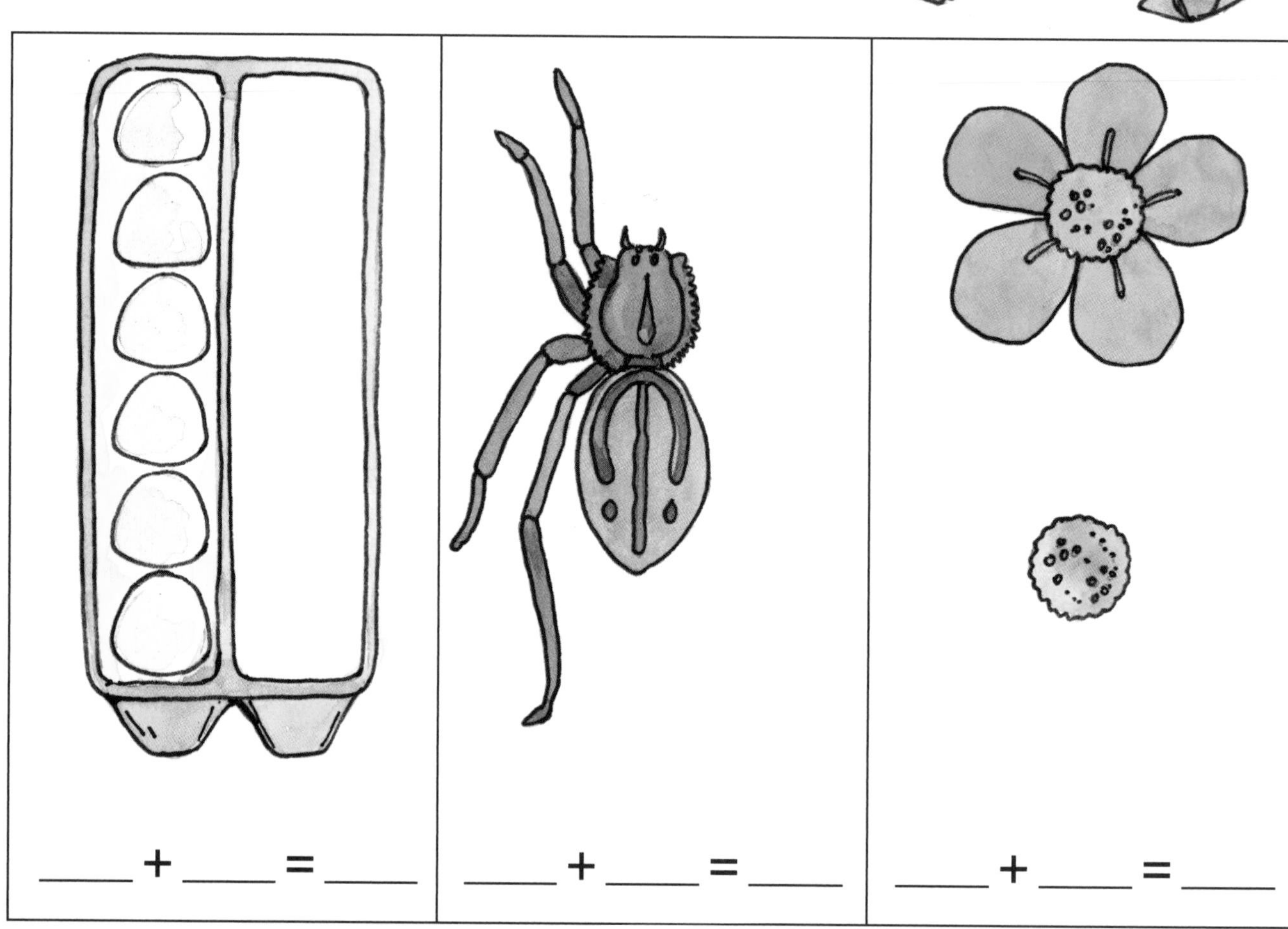

___ + ___ = ___	___ + ___ = ___	___ + ___ = ___

Encercle le nombre qui n'est pas la réponse d'une addition de doubles.

4	8	9	10	16

Comment le sais-tu ?

____

____

____

OBJECTIF | Les élèves dessinent des doubles et écrivent les additions correspondantes.

Nom : ______________________ Date : ______________________

J'utilise des doubles

Écris 2 doubles qui peuvent t'aider à trouver les réponses.

6 + 7 = ___ ___ + ___ = ___ ___ + ___ = ___	4 + 5 = ___ ___ + ___ = ___ ___ + ___ = ___	3 + 2 = ___ ___ + ___ = ___ ___ + ___ = ___
7 + 8 = ___ ___ + ___ = ___ ___ + ___ = ___	4 + 3 = ___ ___ + ___ = ___ ___ + ___ = ___	9 + 8 = ___ ___ + ___ = ___ ___ + ___ = ___

OBJECTIF | Les élèves utilisent des doubles pour additionner des nombres presque doubles.

À LA MAISON 

Invitez votre enfant à vous raconter une histoire de doubles ou de nombres presque doubles.

Nom : ______________________ Date : ______________________

Je compte les jetons

Disperse les jetons.
Forme une dizaine de jetons.

Estime le nombre total de jetons : environ _____.

Forme des dizaines pour montrer comment tu as compté. Utilise des dessins, des nombres ou des mots.

_______ dizaines plus ______ jetons égale _______ jetons en tout.

À LA MAISON

Réunissez environ 60 petits objets (par exemple, des pièces de 1 ¢, des trombones). Demandez à votre enfant : « Combien y a-t-il d'objets environ ? » Invitez votre enfant à faire des dizaines, à les compter puis à compter à partir de ce nombre pour trouver le total.

OBJECTIF

Les élèves utilisent une dizaine pour estimer le nombre total de jetons. Ils comptent les dizaines et les jetons qui restent pour déterminer le nombre total.

Nom : ______________________________ Date : ______________________________

J'estime le nombre de haricots

Prends des haricots dans tes deux mains.
Estime le nombre de haricots.
Pense à des dizaines.

Encercle ton estimation.
- plus de 50
- moins de 50

Forme une dizaine de haricots.
Si tu veux, change ton estimation. ______

Place les haricots dans les grilles de 10.
Colorie les cases pour montrer ton travail.

______ dizaines plus ______ haricots égale ______ haricots en tout.

OBJECTIF | Les élèves prennent une poignée de haricots et estiment le nombre. Ils placent ensuite les haricots dans des grilles de 10 et comptent pour vérifier leur estimation. Ils colorient les grilles de 10 pour montrer leur travail.

Nom : ______________________________ Date : ______________________________

Je compte des dizaines

Encercle des dizaines de fourmis.
Écris les nombres.

_______ dizaines plus ______ fourmis égale _____ fourmis en tout.

Rouda utilise des grilles de 10 pour présenter sa collection d'autocollants. Combien d'autocollants a-t-elle ?

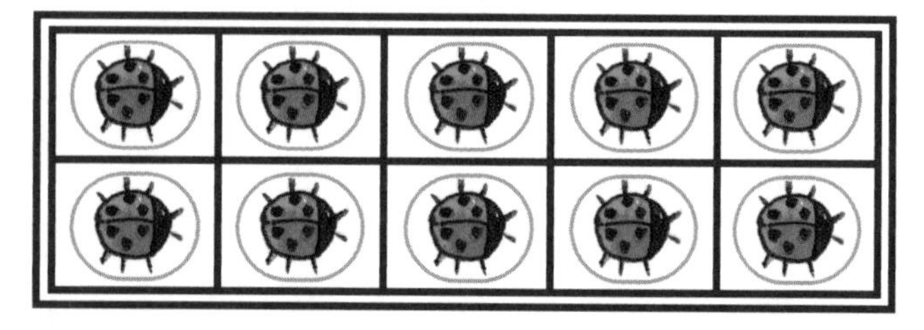

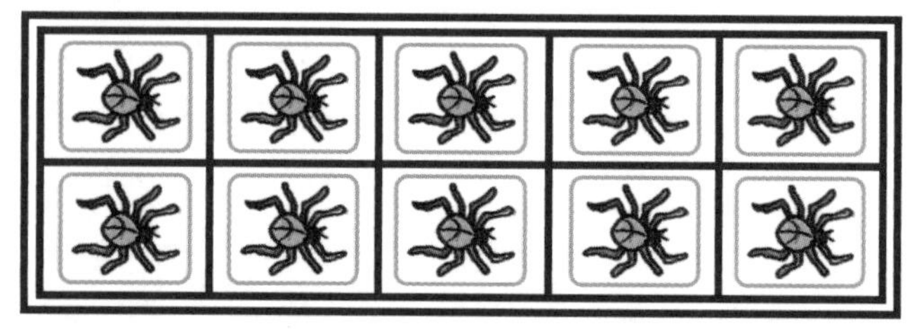

Comment les dizaines t'aident-elles à compter ?

____

____

OBJECTIF | Les élèves forment des dizaines. Ils écrivent le nombre de dizaines, et le nombre de fourmis qui restent. Ils écrivent ensuite le nombre total de fourmis.

Nom : ______________________ Date : ______________________

Je joue au détective de nombres

Il manque des nombres dans chaque grille de 100.
Regarde les nombres pour trouver des indices. Remplis les cases vides.

22	23	24		26
	33	34	35	36
42		44	45	46

	52		54	55	
61	62	63		65	66
71	72		74		76

61		63	64	65
71	72	73		
	82		84	

	76		78	79	
	86	87	88		90
95	96		98		100

La page 47 d'un livre tombe par terre.
Comment peux-tu expliquer à une ou à un camarade où va la page ?

____

À LA MAISON 

Dans un livre, montrez à votre enfant un numéro de page entre 50 et 100. Demandez-lui : « Quel est le numéro de la page suivante ? Quel est le numéro de la page précédente ? Comment le sais-tu ? »

OBJECTIF | Les élèves écrivent les nombres manquants dans les grilles de 100.

Nom : ______________________ Date : ______________________

Les nombres mystères

Écris quelques nombres dans cette grille de 100. Échange ton cahier contre celui d'une ou d'un camarade. Demande à ta ou à ton camarade de remplir les cases vides. Vérifie son travail.

71									
									100

Comment as-tu choisi les nombres que tu as écrits ?

____

____

____

Comment as-tu su où écrire les nombres que tu as choisis ?

____

____

____

Objectif | Les élèves utilisent une grille de 100 pour inventer un problème de nombres manquants. Ils demandent à une ou à un camarade de remplir la grille. Ils vérifient ensuite le travail de leur camarade.

Nom : ______________________ Date : ______________________

Une grille de 100 (de 101 à 200)

Encercle les nombres qui forment une suite.
Quelle est ta suite ?

____

Colorie des nombres qui forment une autre suite.
Quelle est ta suite ?

____

101	102	103	104	105	106	107	108	109	110
111	112	113	114	115	116	117	118	119	120
121	122	123	124	125	126	127	128	129	130
131	132	133	134	135	136	137	138	139	140
141	142	143	144	145	146	147	148	149	150
151	152	153	154	155	156	157	158	159	160
161	162	163	164	165	166	167	168	169	170
171	172	173	174	175	176	177	178	179	180
181	182	183	184	185	186	187	188	189	190
191	192	193	194	195	196	197	198	199	200

Quelles sont les ressemblances entre les 2 suites ?

____

Quelles sont les différences entre les 2 suites ?

____

OBJECTIF | Les élèves écrivent deux suites numériques dans une grille de 100 (de 101 à 200), puis les décrivent.

Nom : ______________________ Date : ______________________

Les nombres pairs et impairs

Colorie les nombres pairs de 50 à 68 en rouge.
Colorie les nombres impairs de 19 à 37 en bleu.

1	2	3	4	5	6	7	8	9	10
11	12	13	14	15	16	17	18	19	20
21	22	23	24	25	26	27	28	29	30
31	32	33	34	35	36	37	38	39	40
41	42	43	44	45	46	47	48	49	50
51	52	53	54	55	56	57	58	59	60
61	62	63	64	65	66	67	68	69	70
71	72	73	74	75	76	77	78	79	80
81	82	83	84	85	86	87	88	89	90
91	92	93	94	95	96	97	98	99	100

Quelles suites vois-tu ?

____

____

____

OBJECTIF Les élèves colorient une grille de 100 pour montrer des nombres pairs et impairs.

À LA MAISON 

Dites à votre enfant d'utiliser la grille de cette page pour décrire quelques suites numériques dans une grille de 100.

Nom : ______________________ Date : ______________________

Encore des suites !

Regarde chaque suite de nombres.
Quelle est la régularité ?

117,	118,	119,	120,	121	je compte par ________
130,	140,	150,	160,	170	je compte par ________
25,	50,	75,	100,	125	je compte par ________
23,	25,	27,	29,	31	je compte par ________

Trouve les régularités.
Écris les nombres manquants.

46,	48,	50,	____,	____,	____,	58,	____,	____,	64
25,	50,	75,	____,	____,	150,	____,	200,	____,	250
120,	130,	140,	____,	____,	170,	____,	____,	200,	____
95,	100,	105,	____,	115,	____,	____,	130,	____,	____

OBJECTIF | Les élèves trouvent des régularités et prolongent des suites.

Nom : ______________________ Date : ______________________

Jusqu'à 41

Si tu comptes par 5 à partir du nombre 6, atteindras-tu le nombre 41 ? Montre ton raisonnement avec des dessins, des nombres ou des mots.

OBJECTIF | Les élèves utilisent une suite numérique pour résoudre un problème.

Nom : ______________________ Date : ______________________

Jusqu'à 62

Si tu comptes par 10 à partir de 21, atteindras-tu le nombre 62 ? Montre ton raisonnement avec des dessins, des nombres ou des mots.

OBJECTIF | Les élèves utilisent une suite numérique pour résoudre un problème.

À LA MAISON 

Invitez votre enfant à vous expliquer les indices de ce problème, puis sa solution.

Nom : ______________________ Date : ______________________

Je compte les rames

Environ combien de rames vois-tu ?

Estime. **plus de 50** ou **moins de 50**

Commence à compter, puis regarde ton estimation.

Tu peux la changer si tu veux. _______

Montre comment tu as compté. Utilise des dessins, des nombres ou des mots.

Il y a _______ rames en tout.

OBJECTIF | Les élèves estiment le nombre de rames dans une course de canots, puis comptent les rames.

Nom : ______________________ Date : ______________________

Des histoires de canot

Que se passe-t-il sur l'eau ?

Raconte une histoire d'addition.

_____ + _____ = _____

Raconte une histoire de soustraction.

_____ − _____ = _____

Objectif | Les élèves interprètent une image. Ils écrivent des histoires d'addition et de soustraction, puis les résolvent.

Nom : ______________________ Date : ______________________

Mon journal

Raconte ce que tu as appris sur la représentation de nombres.
Utilise des dessins, des nombres ou des mots.

Raconte ce que tu as appris sur les grands nombres.

À LA MAISON 

Découvrez ce que votre enfant a appris sur la numération dans ce module. Demandez-lui : « Quel est ton nombre préféré ? De quelles façons peux-tu le montrer ? »

OBJECTIF Les élèves réfléchissent à ce qu'ils ont appris sur les liens entre les nombres et notent leurs réflexions.

Le temps, la température et la monnaie

OBJECTIF | Les élèves racontent une histoire à partir de l'image et discutent de la durée et de l'ordre des événements.

Nom : ______________________ Date : ______________________

Chers parents, tuteur ou tutrice,

Dans ce module de mathématiques, votre enfant acquerra de nouvelles connaissances sur le temps, la température et la monnaie.

Voici les objectifs d'apprentissage de ce module :

- Nommer et ordonner les saisons et les mois de l'année.
- Utiliser les nombres ordinaux de *premier* à *trente et unième*.
- Lire l'heure au quart d'heure près sur des horloges analogiques et numériques.
- Utiliser un thermomètre pour savoir si la température augmente ou diminue.
- Compter et former des sommes d'argent jusqu'à 1,00 $.

Vous pouvez aider votre enfant à atteindre ces objectifs en faisant à la maison les activités suggérées au bas de certaines pages.

Nom : ______________________ Date : ______________________

C'est le temps des pommes !

Regarde les images.
Numérote-les pour montrer l'ordre des événements.

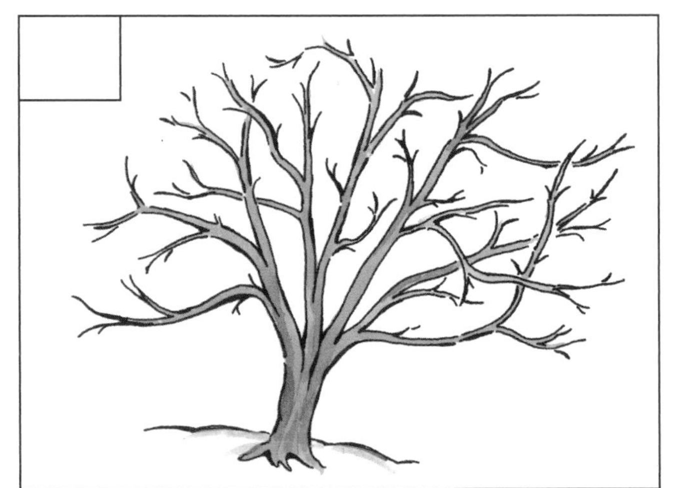

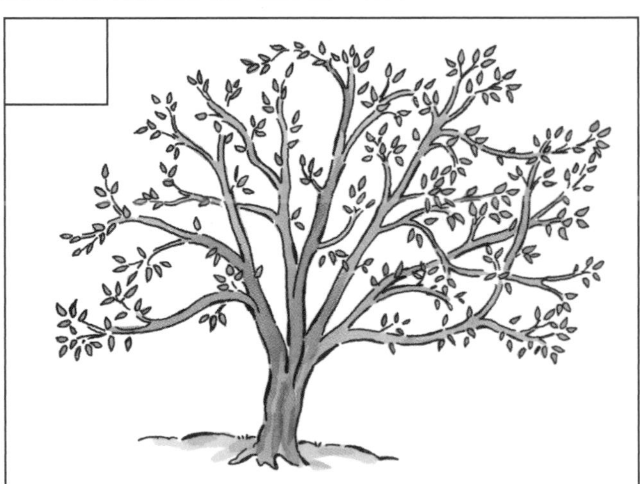

Écris une histoire sur les images. ______________________

____

____

____

____

OBJECTIF | Les élèves ordonnent les images et inventent une histoire. Les réponses peuvent varier selon l'image de départ choisie.

Nom : ______________________ Date : ______________________

Je mesure le temps

Fais chaque activité. Compte les oscillations du pendule. Écris le nombre. Ajoute 2 activités. Compte les oscillations du pendule. Écris le nombre.

L'activité	Le nombre d'oscillations
Écrire ton nom.	
ABCDEFGH Réciter l'alphabet.	
Dessiner un cercle et le colorier.	

OBJECTIF | Les élèves mesurent la durée de certaines activités avec un pendule.

Nom : ______________________ Date : ______________________

Le temps

Estime le nombre d'oscillations du pendule pendant chaque activité.
Fais chaque activité. Écris le nombre d'oscillations du pendule.

L'activité	Mon estimation	Le nombre
Cligner des yeux 10 fois.		
Dessiner un visage.		
Chanter « Rame, rame, rame donc ».		
Mettre ton manteau.		
Te laver les mains.		

À LA MAISON 

Invitez votre enfant à vous expliquer comment mesurer le temps avec un pendule.

OBJECTIF | Les élèves estiment la durée de certaines activités avec un pendule, puis la mesurent.

Nom : ______________________ Date : ______________________

Qu’est-ce qu’une minute ?

Combien de fois peux-tu faire chaque activité en une minute ?

L’activité	Le nombre de fois
Écrire ton nom.	☐
Dessiner une maison.	☐
Construire un train de 5 cubes emboîtables.	☐

OBJECTIF | Les élèves comptent combien de fois ils peuvent répéter une activité en une minute.

Nom : ______________________ Date : ______________________

Juste une minute

Écris ou dessine 3 activités qui durent une minute, selon toi.
Mesure la durée de chaque activité.

Encercle la durée de chaque activité.

L'activité	
	moins d'une minute environ une minute plus d'une minute
	moins d'une minute environ une minute plus d'une minute
	moins d'une minute environ une minute plus d'une minute

OBJECTIF | Les élèves notent des activités qui durent une minute, selon eux, puis mesurent pour vérifier.

À LA MAISON 

En préparant le repas avec votre enfant, parlez des tâches qui durent une minute. Invitez votre enfant à vérifier la durée avec un chronomètre ou une horloge à trotteuse.

Nom : ______________________ Date : ______________________

Heures, minutes, secondes ou jours ?

Décide si tu dois mesurer la durée en heures, en minutes, en secondes ou en jours.

 Une journée d'école ______________________	 Souffler une bulle ______________________
 Promener le chien ______________________	 Prendre un repas ______________________

OBJECTIF | Les élèves choisissent l'unité de temps la plus appropriée pour mesurer la durée d'un événement.

Nom : ______________________ Date : ______________________

L'heure au quart d'heure près

Montre l'heure sur chaque horloge.

 4 h 15	 6 h 15
 9 h 45	 12 h 45
 11 h	 10 h 30

OBJECTIF | Les élèves montrent l'heure au quart d'heure près sur des horloges analogiques.

Nom : ______________________ Date : ______________________

Je peux lire l'heure

Écris ou montre l'heure indiquée sur chaque horloge.

____

____

____

____

OBJECTIF

Les élèves écrivent l'heure au quart d'heure près qu'ils lisent sur des horloges analogiques et numériques, et la montrent sur des horloges analogiques.

À LA MAISON 

Avec votre enfant, fabriquez un livre des heures pour vos activités à la maison (par exemple, 8 h 30, départ pour l'école ; 18 h 15, repas du soir).

Nom : ______________________ Date : ______________________

15 minutes plus tard

La classe attend que le jour des familles commence.
Les familles doivent arriver à l'école à 11 h.

À partir de 9 h, quelqu'un dit l'heure toutes les 15 minutes.

Dessine 6 heures annoncées.

OBJECTIF | Les élèves montrent des intervalles de 15 minutes sur des horloges analogiques.

Nom : ______________________ Date : ______________________

Le mois d'octobre

Regarde le mois d'octobre sur un calendrier.
Écris les jours de la semaine.
Écris toutes les dates du mois.

Combien de semaines y a-t-il en octobre ? ______

Comment le sais-tu ? ______________________

Quel jour de la semaine est le vingt et un octobre ? ____________

À LA MAISON 

Avec votre enfant, discutez des événements que votre famille célèbre durant l'année. Invitez votre enfant à noter ces dates sur un calendrier.

OBJECTIF | Les élèves lisent les jours et les semaines sur un calendrier.

Nom : ______________________________ Date : ______________________________

Les calendriers

Remplis chaque calendrier.

Avril

Dimanche		Mardi		Jeudi		Samedi
		1	2		4	
	7	8		10		12
13		15			18	
			23		25	26
	28					

Quel jour de la semaine est le quatorzième jour d'avril ? ____________

Quel jour de la semaine est le seizième jour d'avril ? ____________

Juillet

Dimanche	Lundi					Samedi
1		3		5		7
	9	10	11		13	
	16			19		21
22		24		26		
29						

Quel jour de la semaine est le trentième jour de juillet ? ____________

Quel jour de la semaine est le onzième jour de juillet ? ____________

OBJECTIF | Les élèves remplissent chaque calendrier pour montrer les jours de la semaine et les dates du mois. Ils interprètent les dates à l'aide d'indices ordinaux.

Nom : ______________________________ Date : ______________________________

Chaud ou froid ?

Colorie les thermomètres pour montrer la température.

Au début **Dans l'eau chaude** **Dans l'eau froide**

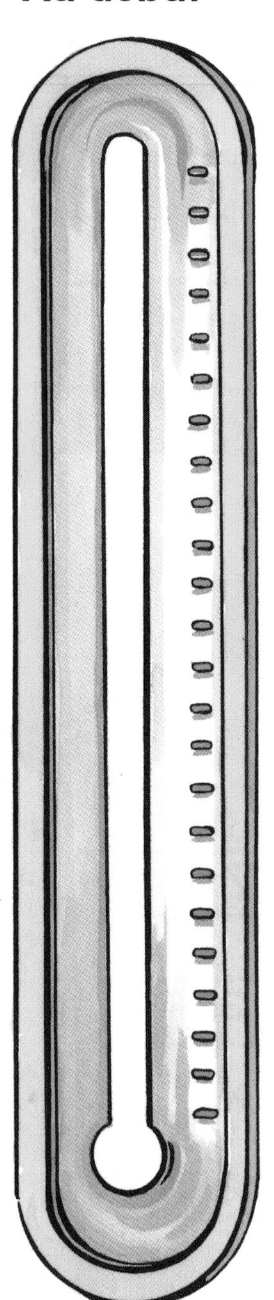

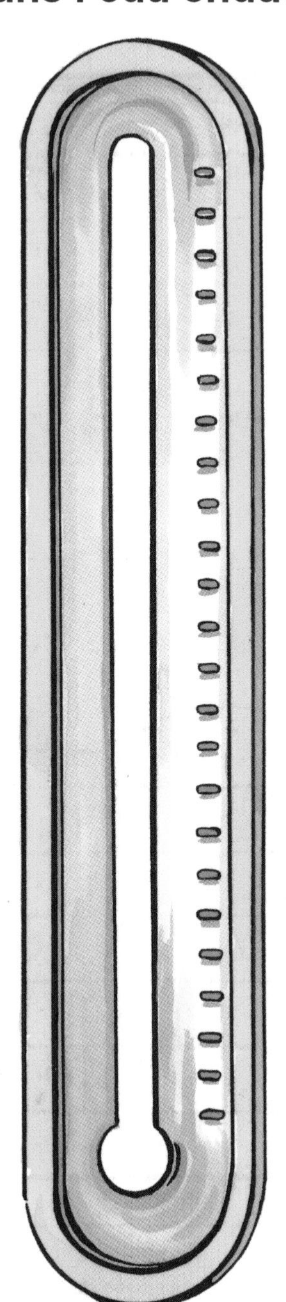

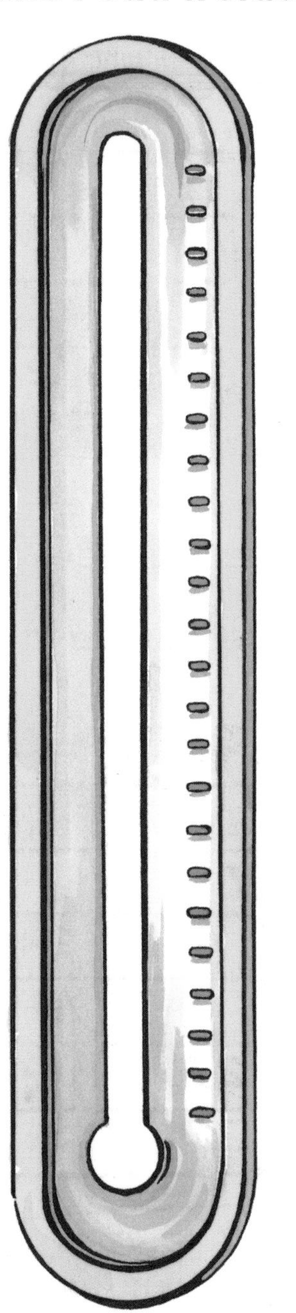

À LA MAISON 

Avec un thermomètre, mesurez la température d'un liquide chaud, puis d'un liquide froid. Recommencez avec d'autres liquides chauds et froids. Demandez à votre enfant ce qui arrive au thermomètre.

OBJECTIF | Les élèves montrent une hausse et une baisse de la température sur des thermomètres.

Nom : ______________________ Date : ______________________

À vendre

Dessine les pièces de monnaie que tu peux utiliser pour acheter chaque article.

Objectif Les élèves comptent par 1 et par intervalles pour trouver la valeur de pièces de monnaie.

À LA MAISON 

Au magasin, repérez des articles de moins de 1,00 $. Dites à votre enfant de lire le prix, puis donnez-lui un peu de monnaie. Demandez-lui de compter pour vérifier si vous pouvez acheter l'article.

Nom : ______________________ Date : ______________________

Qu'est-ce que je peux acheter ?

Tu as 95 ¢.
Encercle 3 choses que tu peux acheter avec cette somme d'argent exacte. Montre les pièces de monnaie que tu utilises.

Peux-tu acheter 3 autres choses avec cette somme d'argent exacte ? Montre ton travail.

OBJECTIF | Les élèves comptent par 1 et par intervalles pour trouver le coût total de 3 articles.

Nom : ______________________ Date : ______________________

Quelles pièces ?

Tu as 6 pièces de monnaie. Tu as 90 ¢ en tout.
Quelles pièces de monnaie peux-tu avoir ? Fais un dessin.

À LA MAISON 

Invitez votre enfant à vous expliquer sa solution.
Demandez-lui : « Comment sais-tu que ces pièces de monnaie font 90 ¢ ? »

OBJECTIF | Les élèves représentent une somme de 90 ¢ avec 6 pièces de monnaie.

Nom : ______________________ Date : ______________________

Je choisis des pièces de monnaie

Montre 6 pièces de monnaie que tu peux utiliser pour faire 75 ¢.
Utilise des dessins, des nombres ou des mots.

Comment sais-tu que ces pièces de monnaie font 75 ¢ ?

____

OBJECTIF | Les élèves représentent une somme de 75 ¢ avec 6 pièces de monnaie.

Nom : ______________________ Date : ______________________

Je partage de l'argent

Trois enfants ont trouvé 50 ¢ en pièces de monnaie.
Comment peuvent-ils partager 50 ¢ ?
Utilise des dessins, des nombres ou des mots.

OBJECTIF | Les élèves utilisent des pièces de monnaie pour illustrer leur solution.

Nom : ______________________ Date : ______________________

Je suis à l’heure

À quelle heure les élèves partent-ils de la maison pour aller à l’école ?
Montre l’heure sur les deux horloges.

À quelle heure finit la journée d’école ?
Montre l’heure sur les deux horloges.

Quelle est la ressemblance entre  et 

?

____

____

Quelle est la différence ?

____

____

OBJECTIF | Les élèves se rappellent les heures au quart d’heure près d’une histoire et les montrent sur des horloges analogiques et numériques.

Nom : ______________________________ Date : ______________________________

Plus chaud et plus froid

Montre la température qu'il fait durant la journée.

Le matin	Le midi	En fin d'après-midi
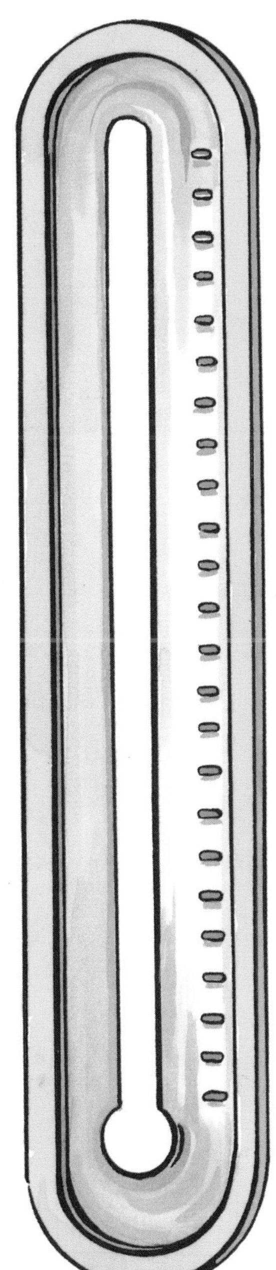	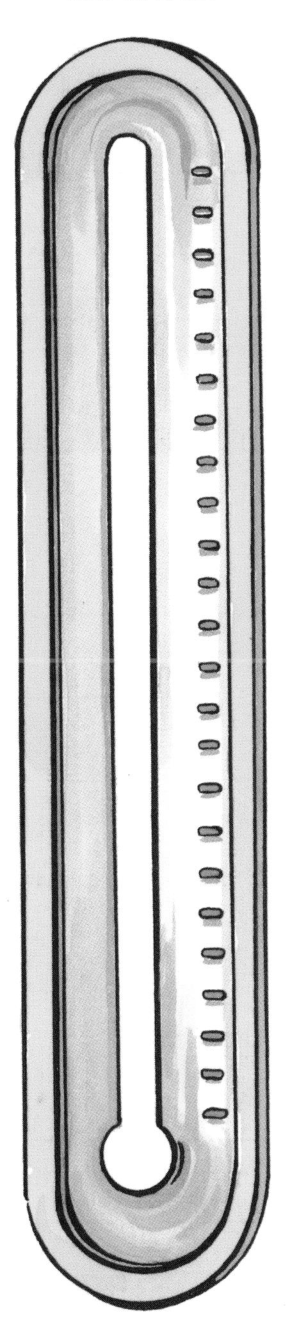	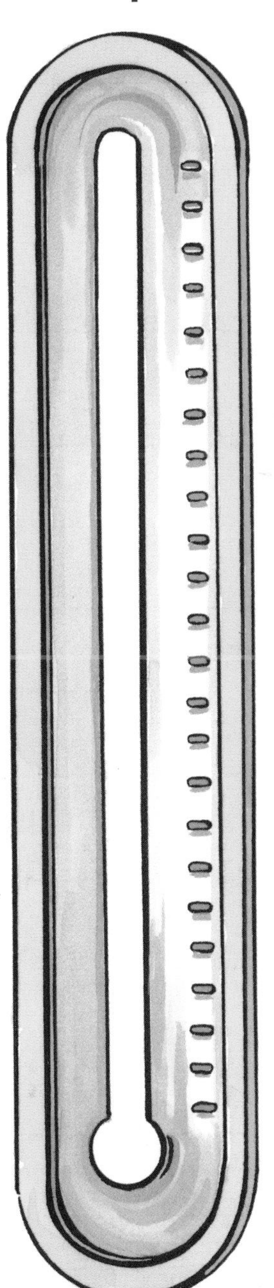

OBJECTIF | Les élèves utilisent de la couleur pour montrer des températures relatives sur des thermomètres.

Nom : ______________________ Date : ______________________

Mon journal

Quelle horloge préfères-tu : [horloge à aiguilles] ou [horloge numérique 6:15] ?
Explique ton raisonnement.

____

____

____

____

Comment peux-tu savoir si la température augmente ?

____

____

____

____

Raconte ce que tu as appris sur les pièces de monnaie.

____

____

____

____

À LA MAISON 

Invitez votre enfant à vous expliquer ce qu'elle ou il a aimé dans ce module.

OBJECTIF | Les élèves réfléchissent à ce qu'ils ont appris sur le temps, la température et la monnaie.

Allons patiner !

Les élèves regardent la neige par la fenêtre.
« Nous voulons que la tempête s'arrête ! »
La grand-maman d'Éloi arrive. « Les rues sont dégagées.
Nous pouvons prendre l'autobus pour aller patiner ! »

Il fait froid dehors et les élèves marchent rapidement.
Ils montent à bord de l'autobus calmement.
Madame Chu nomme les élèves lorsqu'ils passent en rang.
Elle ne veut surtout pas oublier un enfant !

Les parents volontaires aident les élèves à lacer
leurs patins serrés.
C'est très difficile de bien les attacher.
« J'ai froid », gémit Mishi en claquant des dents.
Éloi dit: « Que j'aime patiner ! Rien ne compte autant. »

Une fois sur la patinoire, il est facile de repérer
les élèves qui savent et ceux qui ne savent pas patiner.
Grand-maman s'élance et fait des figures charmantes.
Elle dit : « Un jour, moi aussi, j'ai dû apprendre. »

Grand-maman s'arrête tout à coup.
« Mon foulard ! Où est-il ? Je l'avais autour de mon cou. »
Les élèves regardent sur les bancs, sur la patinoire.
Ils regardent partout. Ils ne voient pas de foulard !

« Qui a pu prendre mon foulard ? C'est étonnant. »
Éloi tire sur le manteau de sa grand-maman.
Mishi dit: « C'est moi. J'avais trop froid, vraiment.
C'était pour une minute seulement. »

Grand-maman sourit. « Quelle joie de ne pas l'avoir égaré !
C'est mon préféré, mais je te le prête pour la journée.
Allons, Mishi, patinons encore un peu.
Nous irons boire un chocolat chaud sous peu ! »

L'histoire

Les élèves ont lu cette histoire en classe pour se préparer à faire l'activité mathématique **Les détectives 2.** Ils ont fait des activités d'addition et de soustraction, travaillé avec des combinaisons de nombres et compté de différentes façons. Ils ont également fait et décrit leurs propres suites et utilisé des pièces de monnaie pour représenter différentes sommes d'argent.

Discutons ensemble

- Qu'est-il arrivé au foulard de grand-maman à la patinoire ?
- À ton avis, comment les parents volontaires ont-ils utilisé les mathématiques pendant la sortie ?
- Qu'est-ce que Mishi a ressenti quand elle s'est aperçue qu'elle avait le foulard de grand-maman ?
- Quel genre de personne est grand-maman ? Connais-tu quelqu'un comme elle ? Quelles sont les ressemblances entre cette personne et grand-maman ? Quelles sont les différences ?

Le coin lecture

Visitez la bibliothèque pour trouver d'autres livres intéressants sur les suites, les nombres ainsi que sur la façon de mesurer le temps et la température et de compter des sommes d'argent.

Les détectives 2

Comment peux-tu grouper 24 élèves ?

Il y a 24 élèves et 3 sections de patinoire.
Montre une façon de grouper les élèves en 3 groupes.

Montre une autre façon de grouper 24 élèves en 3 groupes.

Le foulard de grand-maman

Quelle suite vois-tu sur le foulard de grand-maman ?
Montre la régularité. Fais 3 répétitions.

Encercle la partie répétitive de la suite.

Fais ta propre régularité pour un foulard.
Montre ta suite.

Décris la régularité de ta suite.

Je compte les patins

Montre 2 façons de compter les patins.

Combien de patins y a-t-il en tout ? ______

Y a-t-il plus de patins de hockey ou plus de patins de patinage artistique ? ______________________________

Combien y en a-t-il de plus ? ______

Montre comment tu le sais. Utilise des dessins, des nombres ou des mots.

Si toute ta classe va à la patinoire, combien de patins faut-il ? Montre ton raisonnement. Utilise des dessins, des nombres ou des mots.

Une collation pour Éloi

Grand-maman a 1,00 $ en pièces de monnaie.
Dessine les pièces de monnaie qu'elle peut avoir.

Grand-maman peut dépenser jusqu'à 1,00 $ pour une collation.

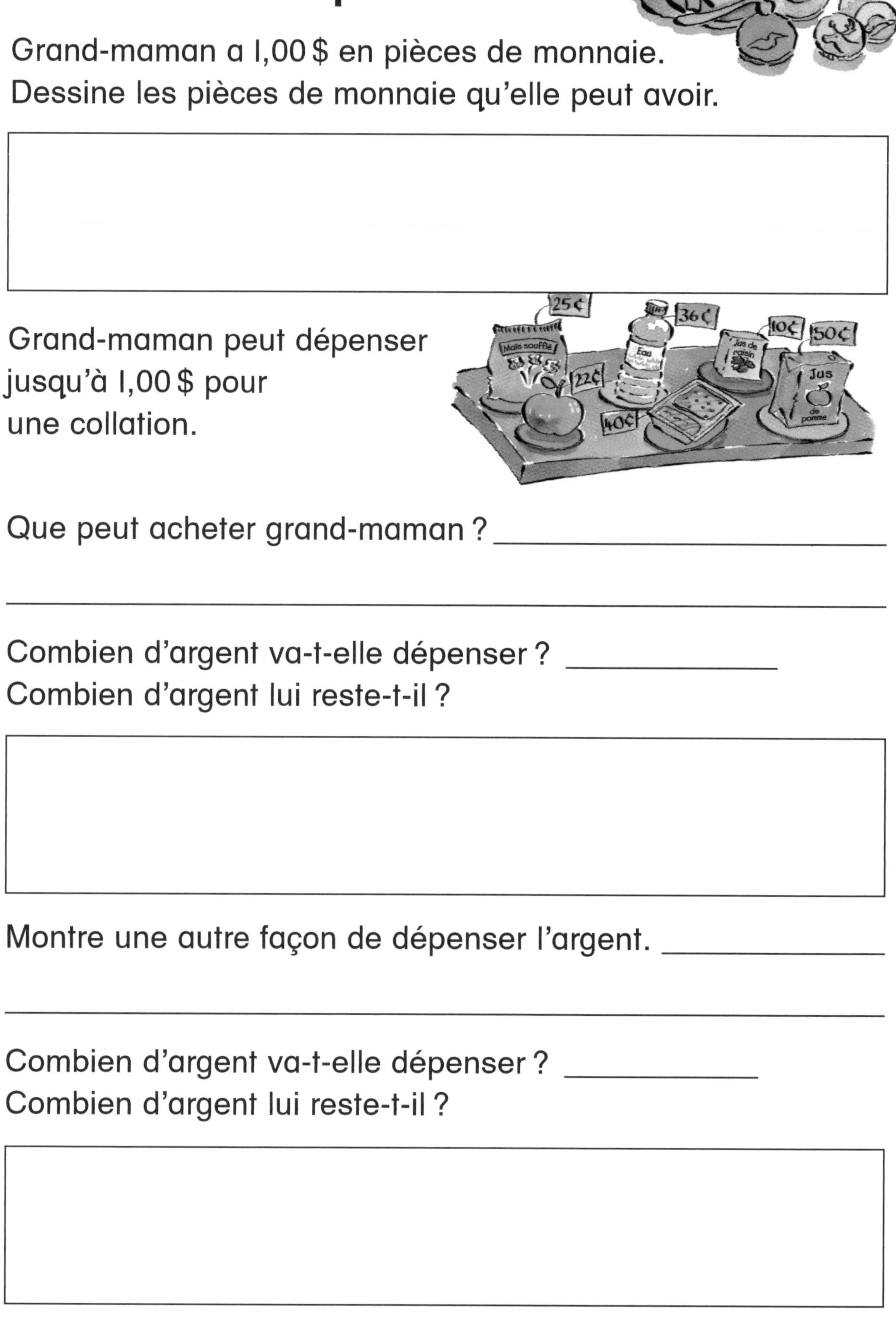

Que peut acheter grand-maman ? ______________________

____

Combien d'argent va-t-elle dépenser ? ____________
Combien d'argent lui reste-t-il ?

Montre une autre façon de dépenser l'argent. ____________

____

Combien d'argent va-t-elle dépenser ? ____________
Combien d'argent lui reste-t-il ?

Des bulles flottantes

Mets une ou un camarade au défi de faire les bulles qui flottent le plus longtemps.
Soufflez une bulle en même temps. Comptez lentement.

Selon toi, compteras-tu jusqu'à 10 ? Compteras-tu jusqu'à 20 ? Pourras-tu compter jusqu'à 50 ?

Je réfléchis

Complète les phrases avec un mot approprié.

Je peux manger 100 ______________________________

mais pas 100 ______________________________.

Je peux soulever 100 ______________________________

mais pas 100 ______________________________.

J'aimerais avoir 100 ______________________________

mais pas 100 ______________________________.

Invente quelques phrases de plus.

Plier

Les mathématiques à la maison

Monte à bord
du Math express.
Quelle est notre destination ?
Le pays des mathématiques
où nous jouons et apprenons.

Nous verrons des suites,
des calendriers, des nombres.
Avec la monnaie et la mesure,
nous ferons de
belles rencontres !

Les mathématiques à la maison !

Des biscuits fous, fous, fous !

La machine à biscuits d'une usine locale est hors de contrôle. Chaque nouveau biscuit a une forme différente. Regarde les trois premiers biscuits.

1er 2e 3e

Dessine le 5e biscuit.
Dessine le 7e biscuit.
Quel biscuit aimerais-tu manger ?

Trouve la page !

Trouve un livre qui a quelques centaines de pages. Demande à une ou à un camarade de nommer le numéro d'une page de ce livre.

Essaie d'ouvrir le livre à cette page.
Estime le nombre de pages qui te séparent de la page nommée. Laisse jouer ta ou ton camarade.

Nomme la plus petite différence de pages que tu as obtenue.

Le jeu serait-il plus facile si le livre avait 50 pages ? Pourquoi ?

Je cherche des suites

À la maison, cherche des suites qui contiennent :

- des lignes ;
- des carrés ;
- des formes différentes ;
- des nombres.

Vois-tu d'autres types de suites ?

Les ascenseurs

Imagine que tu sois dans un édifice très haut.
Tu quittes le cabinet du médecin et tu montes dans l'ascenseur au 21e étage.
Tu dois descendre 14 étages pour aller à la cafétéria.

Sur quel bouton vas-tu appuyer ?

Suppose que tu montes dans l'ascenseur au 17e étage et que tu montes 18 étages.

À quel étage te trouves-tu ?
Invente quelques problèmes d'ascenseur.

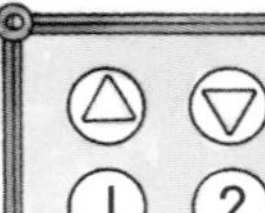

Assez de temps

Pense à des choses que tu fais chaque jour. Décide si elles durent moins d'une minute, environ une minute ou plus d'une minute.

Écris tes prédictions dans un tableau.

Moins d'une minute	Environ une minute	Plus d'une minute

Ça y est ? Affiche ta liste sur le réfrigérateur.
La prochaine fois que tu feras l'une de ces activités, vérifie ta prédiction !

Ta naissance

Trouve quand chaque membre de ta famille est né. Quel anniversaire célébrez-vous en premier dans l'année ?
Quel anniversaire suit le tien ?
Y a-t-il un mois où il y a plus d'un anniversaire ?

Dresse une liste ou fais un dessin pour montrer ce que tu as découvert.

Un drap plein de boue !

Max court dans une grande flaque de boue et se secoue à côté d'un drap mis à sécher.

Estime le nombre de taches de boue sur le drap.
(Pense à des dizaines pour une estimation facile !)

MARTINOT 3 km
NORMANDIN 10 km
ACTON 14 km

Je mesure la distance

En auto ou en autobus, surveille les panneaux qui indiquent des distances en kilomètres.
Quel endroit est le plus proche ?
Quel endroit est le plus éloigné ?
Combien de kilomètres les séparent ?

Invente d'autres problèmes de distances.

Les nombres secrets

Tu as besoin :
- de 5 ensembles de cartes numérotées de 0 à 9, mêlées, face contre table ;
- de grilles de 10 ;
- de 20 jetons.

2e carte	1re carte
Dizaines	Unités

Les règles du jeu :
- Prends 2 cartes. Place-les devant toi, face vers le haut, comme ceci.
- Prends 2 autres cartes. Place-les devant ta ou ton camarade, face contre table.

Ta ou ton camarade a 2 choix :
- Échanger une de ses cartes contre l'une des tiennes.
- Garder ses cartes.

Échangez ou gardez les cartes, puis regardez les nombres.
- Retournez les cartes qui sont face contre table et lisez les deux nombres.
- La joueuse ou le joueur qui a le plus grand nombre place un jeton dans sa grille de 10.
- Les cartes vont dans la pile des cartes déjà utilisées. Ta ou ton camarade prend des cartes à son tour.

Remplis une grille de 10 en premier pour gagner la partie !

Grilles de 10 du jeu « Les nombres secrets »

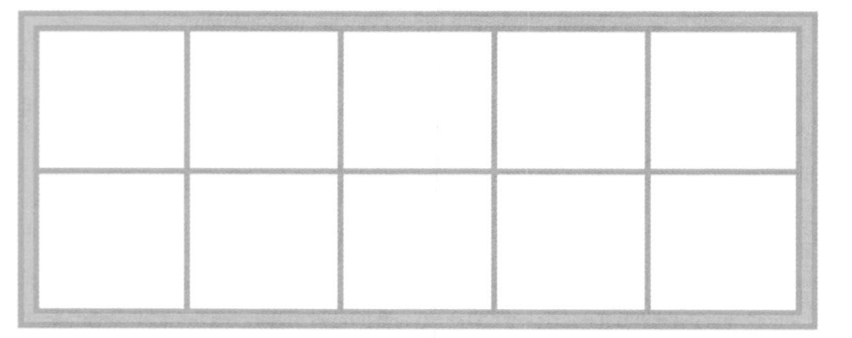

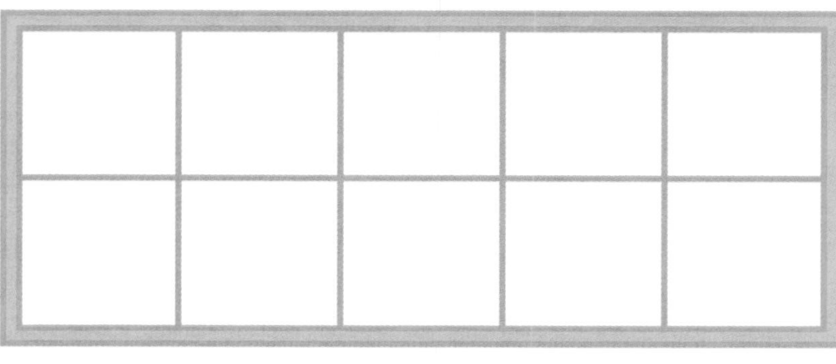

Peux-tu inventer un autre jeu avec le même matériel ?

J'explore l'addition et la soustraction

OBJECTIF | Les élèves inventent des histoires de nombres à partir de cette image d'une foire.

Nom : ______________________ Date : ______________________

Chers parents, tuteur ou tutrice,

Dans ce module de mathématiques, votre enfant développera des stratégies pour additionner et soustraire des nombres à 2 chiffres.

Voici les objectifs d'apprentissage de ce module :

- Additionner trois nombres (par exemple, 5 + 6 + 7 = 18).
- Utiliser des dizaines pour faciliter les additions et les soustractions.
- Additionner des multiples de 10 à des nombres à 1 et à 2 chiffres.
- Développer et utiliser différentes stratégies pour additionner et soustraire des paires de nombres à 2 chiffres.

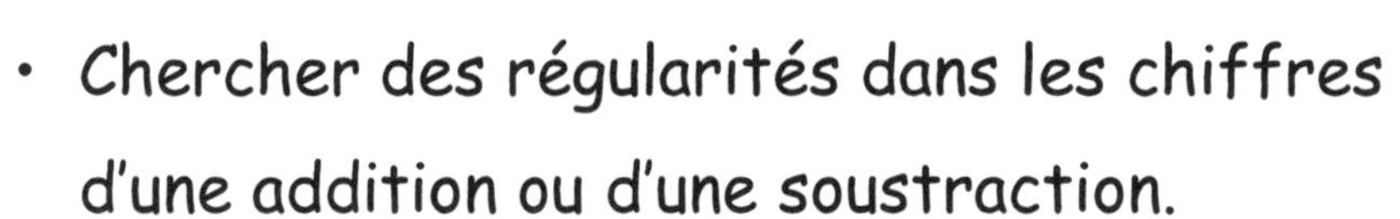

- Chercher des régularités dans les chiffres d'une addition ou d'une soustraction.

Vous pouvez aider votre enfant à atteindre ces objectifs en faisant à la maison les activités suggérées au bas de certaines pages.

Nom : ______________________ Date : ______________________

Des histoires de nombres à la foire

Écris deux énoncés mathématiques pour chaque image.

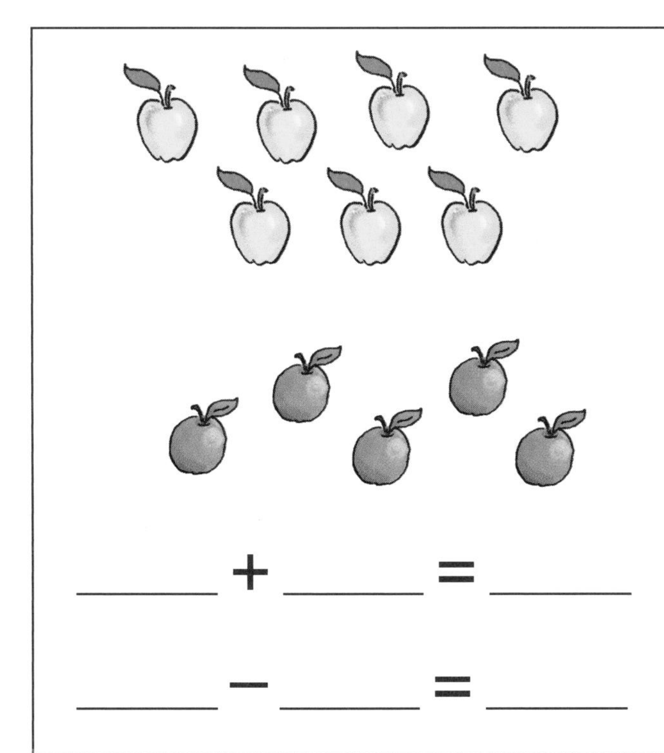

_____ + _____ = _____

_____ − _____ = _____

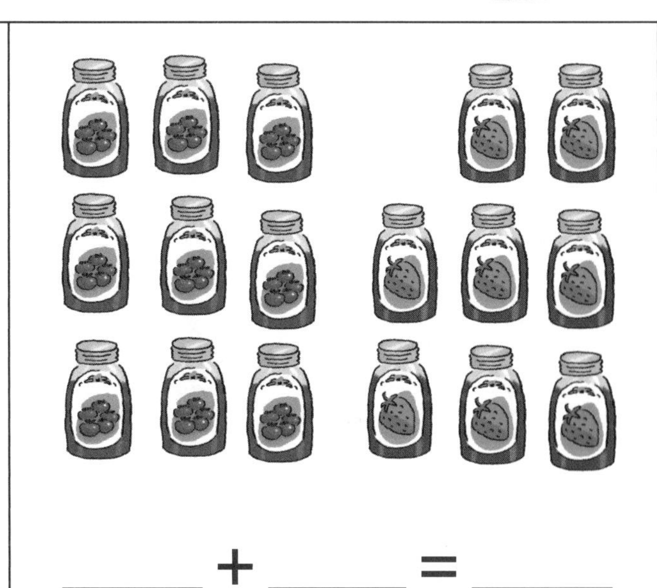

_____ + _____ = _____

_____ − _____ = _____

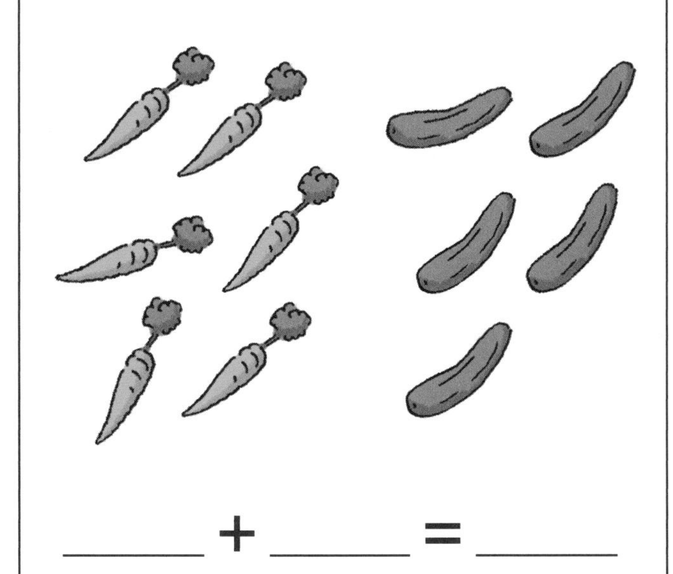

_____ + _____ = _____

_____ − _____ = _____

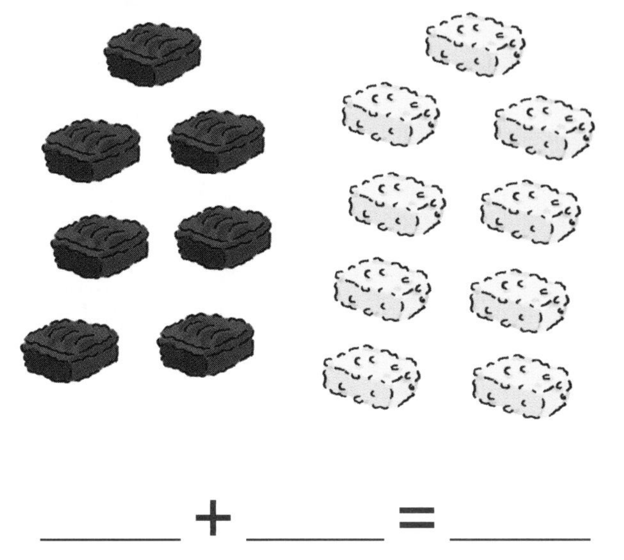

_____ + _____ = _____

_____ − _____ = _____

OBJECTIF | Les élèves écrivent des additions et des soustractions pour des groupes d'objets d'une foire.

Nom : ______________________ Date : ______________________

J'additionne des rangées et des colonnes

Regarde les tableaux de nombres.
Additionne les nombres de chaque rangée.
Additionne les nombres de chaque colonne.

	colonne	colonne	colonne	
rangée →	2	3	5	____
rangée →	8	2	7	____
rangée →	6	1	8	____
	____	____	____	

	colonne	colonne	colonne	
rangée →	5	7	5	____
rangée →	7	3	2	____
rangée →	4	6	8	____
	____	____	____	

Quand la stratégie « je trouve une somme de 10 » est-elle utile ?

____

____

Quand la stratégie des « nombres presque doubles » est-elle utile ?

____

____

Quelles autres stratégies as-tu utilisées ?

____

____

____

À LA MAISON 

Avec votre enfant, écrivez les trois premiers chiffres de numéros de téléphone et additionnez-les. Par exemple, si un numéro de téléphone commence par 747, vous additionnez 7 + 4 + 7 = 18.

OBJECTIF | Les élèves utilisent des stratégies pour additionner trois nombres.

Nom : ______________________________ Date : ______________________________

J'additionne des animaux

Choisis un groupe d'animaux. Invente une histoire d'addition.
Montre comment tu résous le problème avec des dessins, des nombres ou des mots.

OBJECTIF | Les élèves additionnent des nombres à 2 chiffres avec leurs propres stratégies.

Nom : ______________________ Date : ______________________

Mes stratégies d'addition

La foire tient un concours de la plus longue courgette.
Omar a une courgette de 43 cm de long.
La courgette gagnante mesure 11 cm de plus.
Quelle est la longueur de la courgette gagnante ?

Montre comment tu résous le problème.
Utilise des dessins, des nombres ou des mots.

Il y a 38 tracteurs à essence au spectacle de tracteurs.
Il y a aussi 16 tracteurs à vapeur.
Combien y a-t-il de tracteurs en tout ?

Montre comment tu résous le problème.
Utilise des dessins, des nombres ou des mots.

OBJECTIF | Les élèves additionnent des nombres à 2 chiffres avec leurs propres stratégies.

Nom : ______________________________ Date : ______________________________

La grande roue

Il y a 28 personnes dans la grande roue.
45 personnes de plus attendent dans une file.
Combien y a-t-il de personnes en tout au manège ?

Montre comment tu résous le problème.
Utilise des dessins, des nombres ou des mots.

Invente ta propre histoire d'addition.

_____ + _____ = _____

OBJECTIF | Les élèves résolvent des histoires d'addition avec leurs propres stratégies.

Nom : ______________________ Date : ______________________

En route vers l'étable

Aide la vache à trouver son chemin vers l'étable.
Trouve chaque somme. Encercle les paires de nombres dont la somme est 73.
Relie les cercles pour tracer le chemin jusqu'à l'étable.

64 + 9 = ______

56 + 9 = ______

57 + 17 = ______

50 + 23 = ______

27 + 18 = ______

40 + 23 = ______

42 + 31 = ______

37 + 25 = ______

32 + 41 = ______

43 + 30 = ______

62 + 10 = ______

28 + 45 = ______

Regarde les paires de nombres dont la somme est 73.
Quelles sommes as-tu trouvées facilement ? Pourquoi ?

____

____

OBJECTIF Les élèves additionnent des nombres à 2 chiffres avec leurs propres stratégies.

À LA MAISON
Dites à votre enfant de vous montrer comment calculer 64 + 9.
Ensemble, trouvez trois autres paires de nombres dont la somme est 73.

Nom : ______________________ Date : ______________________

Et de 10 !

Choisis un nombre de départ entre 1 et 9.
Écris-le dans la première case du tableau.
Additionne 10 à ton nombre.
Écris la somme dans la première rangée du tableau.
Utilise cette somme comme ton prochain nombre de départ.
Additionne 10 chaque fois. Remplis toutes les rangées.

Nombre de départ	Additionne 10	Somme
	+ 10	
	+ 10	
	+ 10	
	+ 10	
	+ 10	
	+ 10	

Qu'est-ce qui reste identique quand tu additionnes 10 à un nombre ?

____

Qu'est-ce qui change quand tu additionnes 10 à un nombre ?

____

Prédis ce qui va arriver si tu additionnes 10 trois fois de plus.

____

Vérifie ta prédiction. Écris les énoncés mathématiques.

____ + ____ = ____ ____ + ____ = ____ ____ + ____ = ____

OBJECTIF | Les élèves additionnent 10 plusieurs fois à un nombre et décrivent la suite.

Nom : ______________________________ Date : ______________________________

J'additionne des pièces de 10 ¢

Additionne les pièces de 10 ¢ à chaque tirelire.
Écris combien il y a d'argent en tout dans chaque tirelire.

_______¢ en tout

_______¢ en tout

_______¢ en tout

_______¢ en tout

_______¢ en tout

_______¢ en tout

À LA MAISON 

Placez 6 pièces de 1 ¢ en rangée. Demandez à votre enfant de les compter. Ajoutez une pièce de 10 ¢ et demandez-lui : « Combien y a-t-il d'argent en tout ? » Ajoutez ainsi des pièces de 10 ¢ jusqu'à 96 ¢.

OBJECTIF | Les enfants additionnent des pièces de 10 ¢ jusqu'à 99 ¢.

Nom : ______________________ Date : ______________________

J'additionne des dizaines

Effectue les additions.

26 + 10 = _____ 81 + 10 = _____ 18 + 70 = _____

9 + 90 = _____ 31 + 40 = _____ 23 + 60 = _____

48	17	10	15
+ 30	+ 60	+ 40	+ 50

29	11	16	12
+ 30	+ 50	+ 80	+ 70

8 + 10 = _____ 13 + 30 = _____ 14 + 10 = _____

Suppose que tu additionnes 20 à un nombre.
Prédis ce qui va changer dans le nombre.

____

____

Comment peux-tu vérifier ta prédiction ?

____

____

OBJECTIF | Les élèves additionnent des dizaines à des nombres à 1 et à 2 chiffres.

Nom : ______________________ Date : ______________________

Compte les gâteaux

La foire tient un concours du gâteau le plus laid pour les élèves. Il y a 48 gâteaux inscrits. La classe de M. Michaud présente 6 gâteaux de plus. Combien y a-t-il de gâteaux en tout ?

Explique comment tu peux trouver la réponse. Utilise des dessins, des nombres ou des mots.

Trouve les sommes.

8	18	28	38
+ 6	+ 6	+ 6	+ 6

Regarde toutes les sommes de cette page. Quelles sont les ressemblances ?

____

Prédis la somme de 58 + 6. Effectue l'addition pour vérifier ta prédiction.

____

OBJECTIF | Les élèves utilisent leurs stratégies pour trouver la somme de nombres à 1 et à 2 chiffres. Ils trouvent des sommes reliées et cherchent des régularités.

Nom : ______________________________ Date : ______________________________

Des régularités dans les additions

Trouve les sommes.

9	19	29	39	49	59
+ 5	+ 5	+ 5	+ 5	+ 5	+ 5

Écris toutes les sommes : ______________________________

Quelle est la somme de 79 + 5 ? ________

Comment le sais-tu ?

____

Trouve les sommes.

4	4	4	4	4
+ 18	+ 28	+ 38	+ 48	+ 58

Écris toutes les sommes : ______________________________

Quel est le nombre manquant ? $4 + \square = 92$ ________

Comment le sais-tu ?

____

OBJECTIF Les élèves additionnent des nombres à 1 et à 2 chiffres et cherchent des régularités dans les sommes.

À LA MAISON 

Demandez à votre enfant de vous dire comment trouver le nombre manquant dans $4 + \square = 92$.

Nom : ______________________ Date : ______________________

Combien de plus ?

Il y a plus d'inscriptions de chats que de lapins. Combien de plus ?
Montre ta solution avec des dessins, des nombres ou des mots.

_____ – _____ = _____

OBJECTIF Les élèves cherchent des données dans une histoire et soustraient des nombres à 2 chiffres avec leurs propres stratégies.

À LA MAISON 
Avec votre enfant, inventez une autre histoire de soustraction sur le concours d'animaux.

Nom : ______________________________ Date : ______________________________

Allons à la foire !

Les 38 élèves de 2e année vont à une foire.
Plusieurs élèves de 1re année y vont aussi.
En tout, 62 élèves vont s'y rendre.
Combien d'élèves de 1re année vont à la foire ?

Montre comment tu résous le problème.
Utilise des dessins, des nombres ou des mots.

Invente ta propre histoire de soustraction.

_____ – _____ = _____

OBJECTIF | Les élèves résolvent des histoires de soustraction avec leurs propres stratégies.

Nom : ______________________ Date : ______________________

J'attends en file

Il y a 39 personnes qui attendent pour monter à bord de la fusée magique. Un tour finit et 16 personnes de la file montent à bord du manège. Combien reste-t-il de personnes dans la file ?

Montre comment tu résous le problème.
Utilise des dessins, des nombres ou des mots.

Invente ta propre histoire de soustraction.

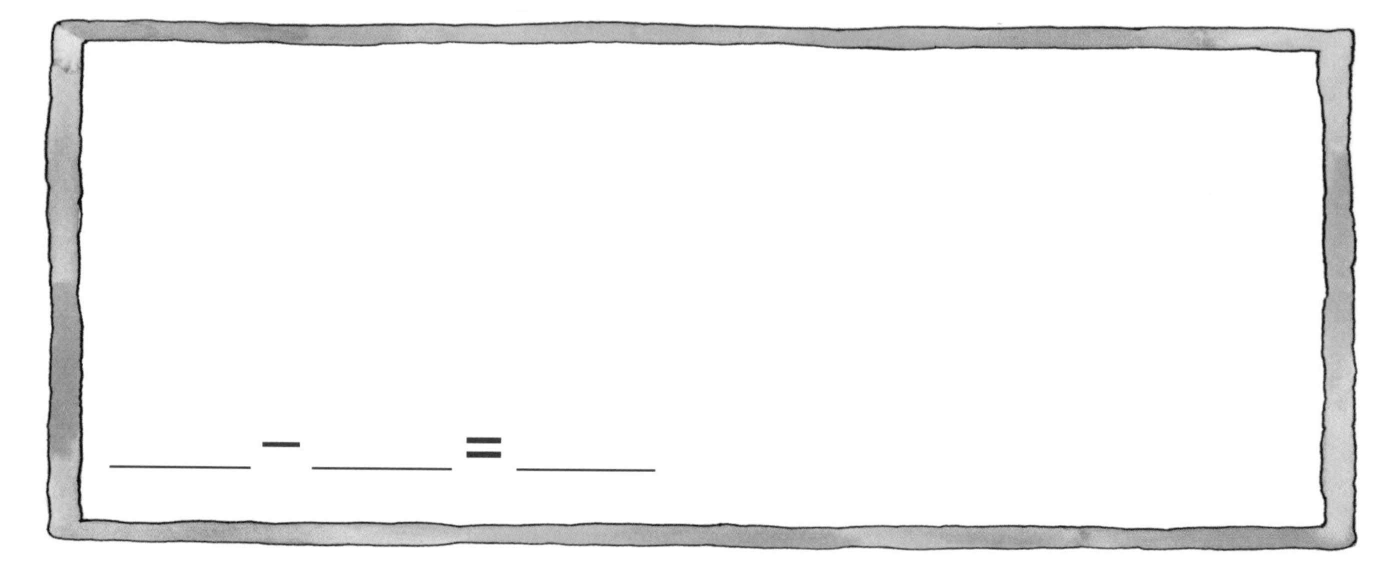

_____ – _____ = _____

OBJECTIF | Les élèves résolvent des histoires de soustraction avec leurs propres stratégies.

Nom : ______________________ Date : ______________________

Un code numérique

Nabil et Annie inventent un code avec des nombres. Chaque nombre correspond à une lettre. Voici des lettres et des nombres qu'ils utilisent.

C	A	G	N	I	H	O	P	R	L	Q
3	5	7	8	9	14	15	16	18	19	20

Nabil écrit ces nombres : 16 9 3

De quel animal s'agit-il ? ______________

Annie écrit des soustractions. Résous-les. Chaque différence correspond à une lettre. Trouve l'animal préféré d'Annie.

34 – 15 = _____ La lettre est ______.

61 – 56 = _____ La lettre est ______.

78 – 62 = _____ La lettre est ______.

49 – 40 = _____ La lettre est ______.

67 – 59 = _____ La lettre est ______.

Quel est l'animal préféré d'Annie ? ______________________

22 – 19 = _____ 28 – 13 = _____ 55 – 35 = _____

Quel nom d'animal peux-tu écrire avec ces différences ? __________

OBJECTIF | Les élèves soustraient des nombres à 2 chiffres avec leurs propres stratégies pour décoder des noms d'animaux.

Nom : ______________________ Date : ______________________

Combien en reste-t-il maintenant ?

56 enfants participent à une course amusante.
9 enfants s'arrêtent pour boire un peu.
Combien d'enfants continuent de courir ?

Montre comment tu peux trouver la réponse.
Utilise des dessins, des nombres ou des mots.

Trouve ces différences.

16	26	36	46
− 9	− 9	− 9	− 9
____	____	____	____

Regarde toutes les différences de cette page.
Quelles sont leurs ressemblances ?

____

Prédis la différence de 76 − 9. Effectue la soustraction pour vérifier ta prédiction.

____

OBJECTIF | Les élèves utilisent leurs propres stratégies pour soustraire des nombres à 1 chiffre de nombres à 2 chiffres. Ils trouvent ensuite des différences reliées et cherchent des régularités.

Nom : ______________________ Date : ______________________

Des régularités dans les soustractions

Trouve les différences.

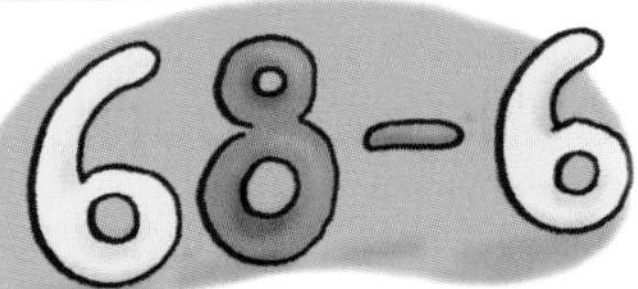

8 – 6	18 – 6	28 – 6	38 – 6	48 – 6	58 – 6
____	____	____	____	____	____

Écris toutes les différences : ______________________

Quelle est la différence de 78 – 6 ? ________

Comment le sais-tu ?

____

Trouve les différences.

14 – 8	24 – 8	34 – 8	44 – 8	54 – 8
____	____	____	____	____

Écris toutes les différences : ______________________

Quel est le nombre manquant ? ☐ – 8 = 76 ________

Comment le sais-tu ?

____

OBJECTIF Les élèves soustraient des nombres à 1 chiffre de nombres à 2 chiffres et cherchent des régularités dans les différences.

À LA MAISON 

Demandez à votre enfant de vous dire comment trouver le nombre manquant dans ☐ – 8 = 76.

Nom : ______________________ Date : ______________________

Nourris les cochons

Annie aide à nourrir les cochons. C'est une de ses tâches à la ferme. Elle met de beaux gros épis de maïs dans leurs seaux.

Le seau 1 contient 37 épis. Le seau 2 contient 41 épis. Il y a 95 épis de maïs en tout. Combien d'épis de maïs y a-t-il dans le seau 3 ?

Montre comment tu peux résoudre le problème.
Utilise des dessins, des nombres ou des mots.

OBJECTIF | Les élèves utilisent une stratégie de résolution de problèmes de leur choix pour résoudre un problème.

Nom : ______________________________ Date : ______________________________

Combien d'épis de maïs ?

Un fermier a 95 épis de maïs.
La truie mange 46 épis.
Un porcelet mange 27 épis.
Combien d'épis de maïs l'autre porcelet mange-t-il ?

Montre comment tu peux résoudre le problème.
Utilise des dessins, des nombres ou des mots.

À LA MAISON 

Demandez à votre enfant : « Comment peux-tu vérifier ta solution ? »

OBJECTIF | Les élèves utilisent une stratégie de résolution de problèmes de leur choix pour résoudre un problème.

Nom : ______________________ Date : ______________________

La réponse est 53

Invente 2 histoires d'addition dont la somme est 53.
Utilise des dessins, des nombres ou des mots.
Écris une phrase d'addition pour chaque histoire.

_____ + _____ = 53

_____ + _____ = 53

OBJECTIF | Les élèves montrent leur compréhension de l'addition en inventant des histoires d'addition.

Nom : ______________________ Date : ______________________

Des histoires de soustraction avec 53

Invente 2 histoires de soustraction qui
commencent par le nombre 53.

Utilise des dessins, des nombres ou des mots.

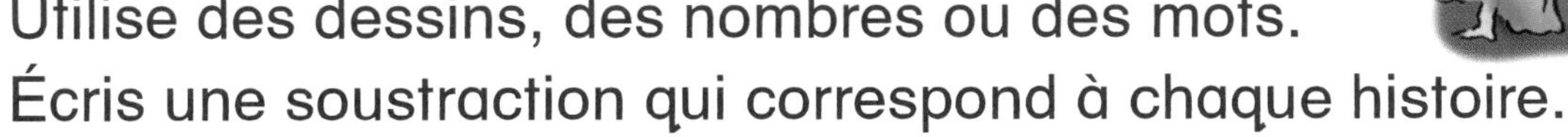

Écris une soustraction qui correspond à chaque histoire.

53 – _____ = _____

53 – _____ = _____

OBJECTIF | Les élèves montrent leur compréhension de la soustraction en inventant des histoires de soustraction.

Nom : ______________________ Date : ______________________

Mon journal

Raconte ce que tu as appris sur l'addition de grands nombres.
Utilise des dessins, des nombres ou des mots.

Raconte ce que tu as appris sur la soustraction de grands nombres.
Utilise des dessins, des nombres ou des mots.

OBJECTIF Les élèves réfléchissent à ce qu'ils ont appris sur l'addition et la soustraction de grands nombres et notent leur raisonnement.

À LA MAISON 
Avec votre enfant, parlez des situations où vous utilisez l'addition ou la soustraction.

Le traitement des données et la probabilité

Toujours, quelquefois, jamais !

Jusqu'à 10 en vitesse :
aujourd'hui, c'est le test !

Hasard, hasard, dis-moi,
quelle couleur gagnera…

Les carreaux sont dans le sac.
Mêle-les bien, tric, plic, plac !

Plonge la main tout au fond,
sors un carreau, pas un rond !

Sera-t-il **quelquefois** jaune
ou alors **jamais** bleu ?

Toujours rouge ? encore mieux !
Croise les doigts, fais un voeu.

Toujours, quelquefois, jamais
sont les mots à se rappeler.

Regarde bien ton carreau,
note ce que tu as pigé.

Dix carreaux d'une couleur ?
C'est gagné, quel bonheur !

Toujours, quelquefois, jamais…
Devine donc ce que ce sera.

OBJECTIF | Les élèves prédisent et décrivent le résultat d'un jeu.

Nom : ______________________________ Date : ______________________________

Chers parents, tuteur ou tutrice,

Dans ce module de mathématiques, votre enfant apprendra à construire des diagrammes et étudiera la probabilité, c'est-à-dire la chance que certains événements se produisent.

Voici les objectifs d'apprentissage de ce module :

- Recueillir, organiser, décrire et étiqueter des données dans des diagrammes. Par exemple, votre enfant et les élèves de la classe pourraient compter avec des traits le nombre de jours de pluie, de neige, de soleil ou de nuages durant un mois, puis représenter les données dans un diagramme.
- Lire des diagrammes et formuler des questions à propos des données recueillies.
- Discuter de la probabilité de certaines situations quotidiennes avec des mots tels que *toujours*, *quelquefois* ou *jamais*. Par exemple : « Il neige quelquefois au printemps. »
- Utiliser un vocabulaire mathématique, comme *probable* et *improbable* dans des jeux. Par exemple : « Je pense qu'il est probable que la flèche de la roulette s'arrête sur le secteur rouge. »

Vous pouvez aider votre enfant à atteindre ces objectifs en faisant à la maison les activités suggérées au bas de certaines pages.

Nom : ______________________ Date : ______________________

La course jusqu'à dix

Quelle couleur gagnera la course ?
Encercle ta réponse : **rouge** ou **bleu.**

Règles du jeu

Mets 10 carreaux rouges
et 5 carreaux bleus dans un sac.

Tire un carreau du sac.

Colorie une case sur le parcours. Utilise la couleur du carreau que tu as tiré.

Remets le carreau dans le sac.
Recommence.

Fais une course jusqu'à dix !

rouge										
bleu										

Quelle couleur a gagné la course ? ______________________

Comment le sais-tu ? ______________________

Pourquoi cette couleur a-t-elle gagné la course, selon toi ? __________

____

OBJECTIF | Les élèves tirent un carreau du sac, colorient une case sur le parcours, remettent le carreau dans le sac et recommencent jusqu'à ce qu'ils aient rempli une rangée.

Nom : ______________________ Date : ______________________

Je construis des bonshommes de neige

Choisis une roulette.
Encercle ton choix.

Écris la lettre **A** sur un secteur de la roulette.
Écris la lettre **B** sur l'autre secteur.

Tu peux ajouter une partie au bonhomme de neige **A** ou au bonhomme de neige **B** chaque fois que la flèche s'arrête sur son secteur.

Si tu fais tourner la flèche 10 fois, quel bonhomme de neige va probablement être le plus grand ? **A** ou **B** ?

Fais tourner la flèche 10 fois. Construis les bonshommes de neige. Quel bonhomme de neige est le plus grand ? Pourquoi, selon toi ?

Choisis une autre roulette. Joue une autre fois.

À ton avis, quel bonhomme de neige va être le plus grand ? **A** ou **B** ?

Quel bonhomme de neige est le plus grand ? Pourquoi, selon toi ?

OBJECTIF | Les élèves construisent des bonshommes de neige avec des découpages de la *FR-Élève 6* selon les résultats obtenus à la roulette.

Nom : ______________________ Date : ______________________

La course du lièvre et de la tortue

Choisis une roulette.
Encercle ton choix.

Écris la lettre **T**, pour **tortue**, sur un secteur.
Écris la lettre **L**, pour **lièvre**, sur l'autre secteur.

À ton avis, qui va gagner la course ?
Fais tourner la flèche. Colorie une case pour montrer chaque résultat.

Tortue										
Lièvre										

Raconte la course. ______________________

____

Choisis une autre roulette.
Joue une autre fois.

À ton avis, qui va gagner la course ?
Fais tourner la flèche. Colorie une case pour montrer chaque résultat.

Tortue										
Lièvre										

Raconte la course. ______________________

____

OBJECTIF | Les élèves choisissent et étiquettent une roulette à partir de la *FR-Élève 5*. Ils prédisent le gagnant et notent les résultats.

Nom : ______________________________ Date : ______________________________

Probable ou improbable ?

Regarde chaque image. Encercle le mot *probable* ou le mot *improbable*.

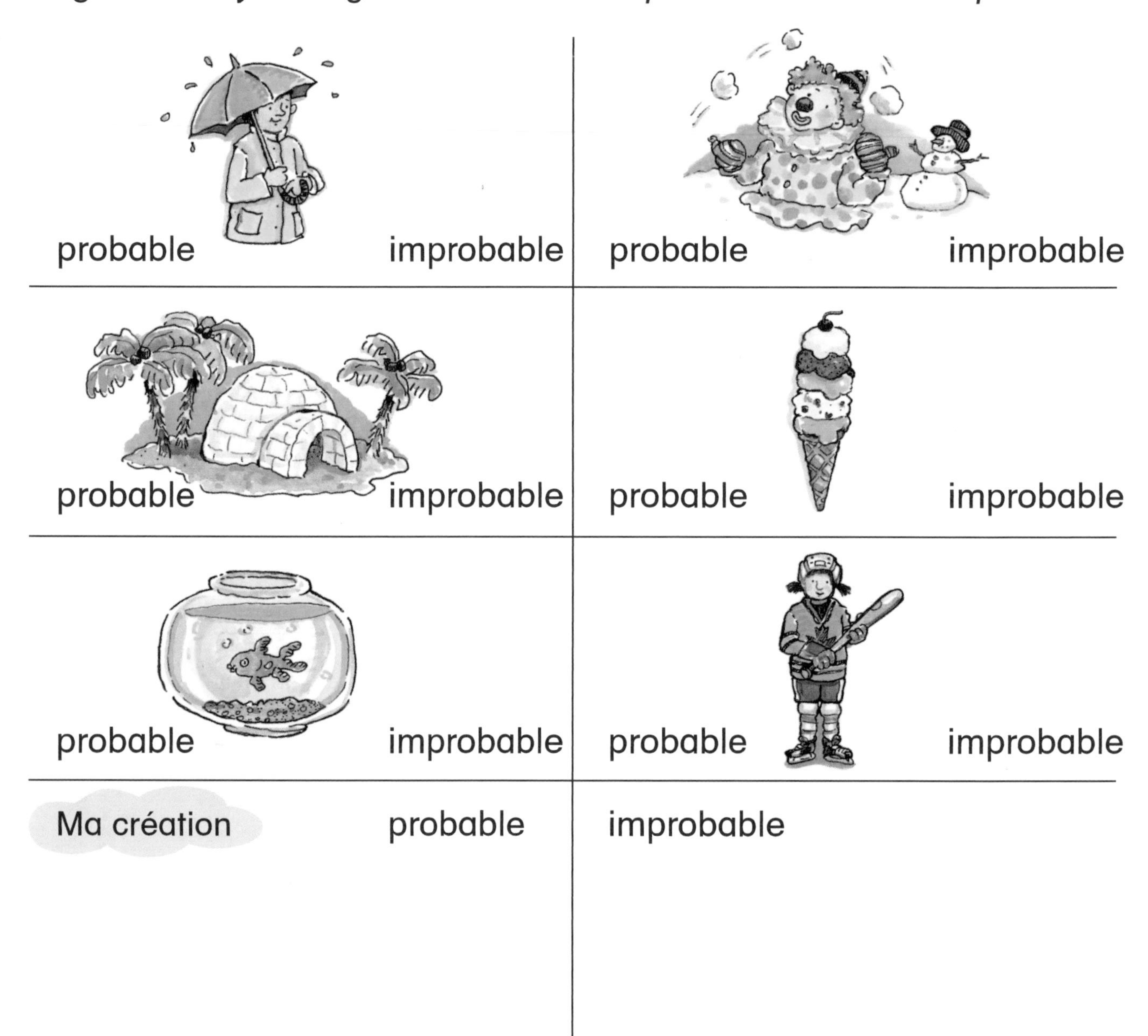

probable improbable	probable improbable
probable improbable	probable improbable
probable improbable	probable improbable

Ma création probable | improbable

OBJECTIF Les élèves regardent les images et décident si l'événement est probable ou improbable. Ils dessinent ensuite un événement probable et un événement improbable de leur choix.

À LA MAISON 

Avec votre enfant, créez un livre probable/improbable. Pliez des feuilles de papier en deux et demandez à votre enfant de dessiner des événements probables d'un côté et des événements improbables de l'autre.

Nom : ______________________ Date : ______________________

J'invente un jeu

Choisis une roulette pour ton jeu.
Encercle-la.

Qu'est-ce que les personnes essaient de faire dans ton jeu ?

Qu'est-ce qui arrivera **probablement** si chaque personne fait tourner la flèche 10 fois ? Explique ton raisonnement.

Joue une partie avec une ou un camarade. Raconte la partie.

OBJECTIF | Les élèves inventent un jeu avec une roulette, prédisent les résultats, jouent une partie et expliquent les résultats.

Nom : ______________________ Date : ______________________

Je change de roulette

Joue une nouvelle partie.
Choisis une autre roulette.

Encercle-la.   

Prédis ce qui va **probablement** se passer quand tu vas jouer avec cette roulette.

Explique ton raisonnement.

Joue une partie avec une ou un camarade. Raconte la partie.

OBJECTIF | Les élèves prédisent ce qui va se passer s'ils utilisent une roulette différente pour jouer et expliquent les résultats.

Nom : ______________________ Date : ______________________

Je construis un diagramme à bandes

Jette un jeton bicolore 15 fois.

Prédis la couleur que tu obtiendras le plus souvent.
Encercle ta prédiction : **rouge** ou **jaune.**

Construis un tableau des effectifs.

Couleur	**Pointage**
rouge	
jaune	

Construis un diagramme à bandes pour représenter les résultats.

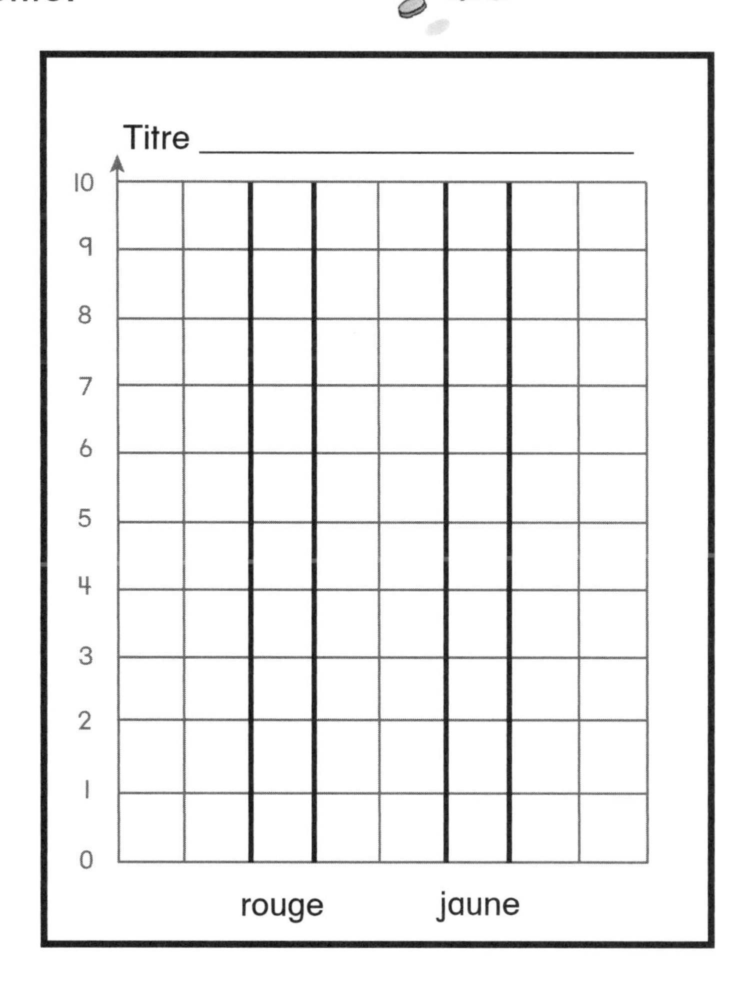

Qu'as-tu découvert ?

____

____

____

OBJECTIF | Les élèves prédisent les résultats du lancer d'un jeton bicolore, et consignent les résultats dans un tableau des effectifs et dans un diagramme à bandes.

Nom : ______________________ Date : ______________________

Je compte avec des traits

Je compte toutes les chaises dans ma classe.

Voici mes traits : ______________________.

Il y a ________ chaises.

Je compte les ______________________ dans ma classe.

Voici mes traits : ______________________.

Il y a ______________________.

Je compte les ______________________ dans ma classe.

Voici mes traits : ______________________.

Il y a ______________________.

Comment la stratégie « compter avec des traits » est-elle utile ?

OBJECTIF | Les élèves comptent différents objets dans la classe avec des traits.

Nom : ______________________ Date : ______________________

Un diagramme de poissons !

Combien de poissons ont des rayures ?
Combien de poissons ont des taches ?
Combien de poissons ont des moustaches ?

Construis un tableau des effectifs.

Les types de poissons

Type	Pointage
à rayures	
à taches	
à moustaches	

Construis un diagramme à bandes pour représenter les résultats.

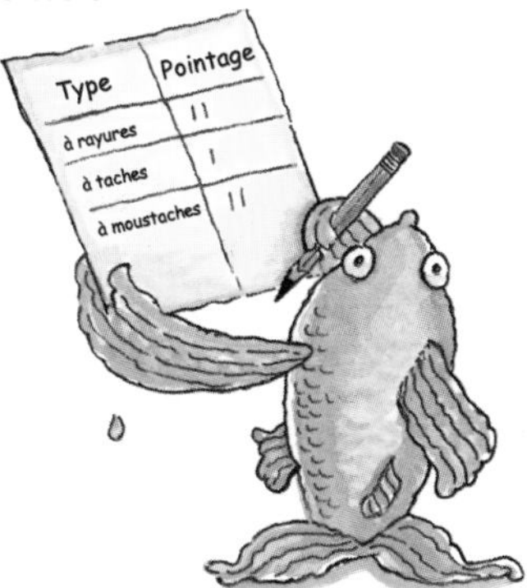

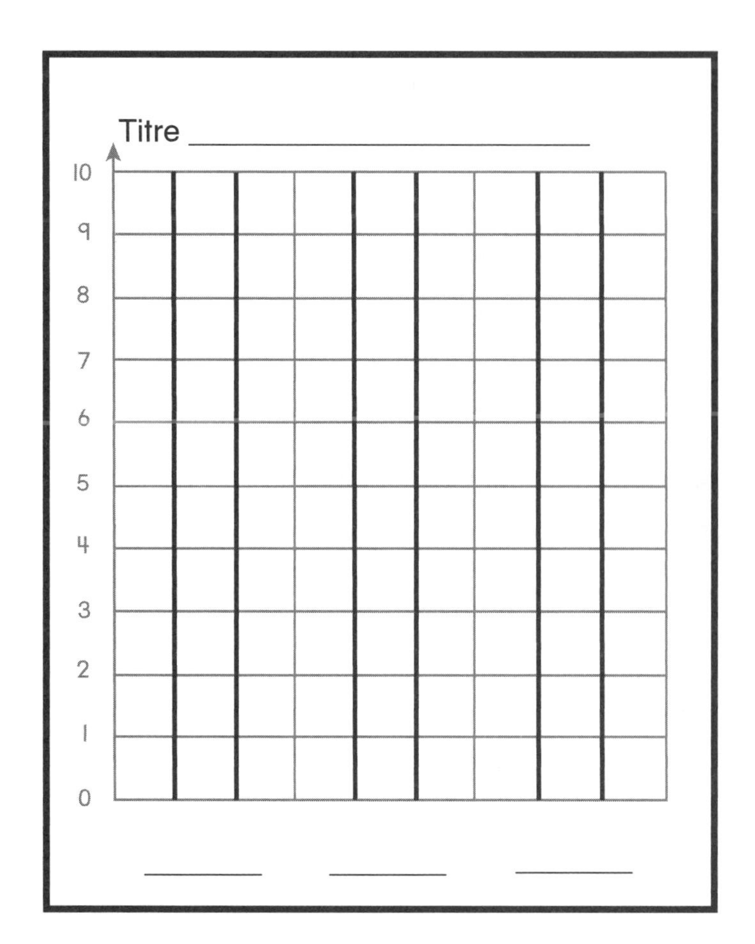

Écris un énoncé au sujet des poissons.

____

À LA MAISON 

Remplissez des tableaux d'effectifs avec votre enfant à la maison. Par exemple, comptez avec des traits les cuillères dans le tiroir ou les livres sur une étagère.

OBJECTIF Les élèves construisent un diagramme à bandes pour représenter le nombre de poissons de chaque type.

Nom : ______________________ Date: ______________________

Je mène un sondage

Ma question ______________________

Pose ta question à 10 camarades. Construis un tableau des effectifs.

Choix	Pointage

Qu'as-tu découvert ?

____

____

À ton avis, qu'arriverait-il si tu posais la même question à des élèves de 5e année ?

À LA MAISON

Invitez votre enfant à poser une question aux membres de votre famille, telle que : « Aimes-tu la neige ? » Demandez-lui de poser sa question à 10 personnes, puis dites-lui de remplir un tableau des effectifs et de construire un diagramme à bandes pour représenter les résultats.

OBJECTIF | Les élèves mènent un sondage et indiquent les résultats dans un tableau des effectifs.

Nom : ______________________ Date: ______________________

Les aliments préférés

Ma question

Préfères-tu __________, ____________, ou __________ ?

Pose ta question à 10 camarades. Construis un tableau des effectifs.

Les aliments préférés

Aliments	Pointage

Construis un diagramme à bandes pour représenter les résultats.

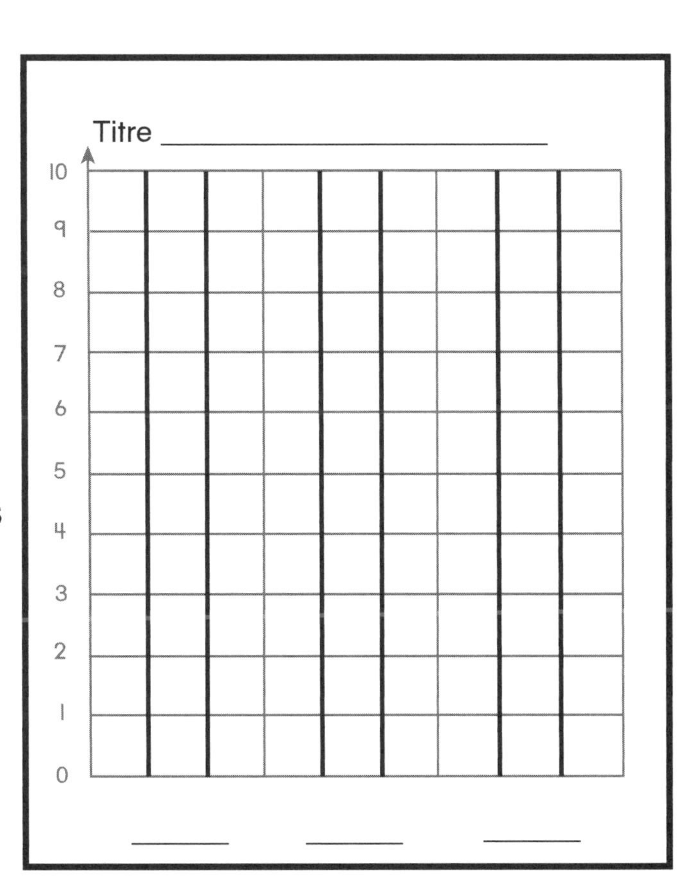

Qu'as-tu découvert ? ______________________________

____

Qu'as-tu appris au sujet des sondages ?

____

____

OBJECTIF | Les élèves mènent un sondage et représentent les résultats dans un diagramme à bandes.

Nom : ______________________ Date : ______________________

Un dino-gramme

Qu'est-ce que ce diagramme t'indique ?

____

Quelles questions pourrais-tu poser au sujet du diagramme ?

____

____

____

Qu'as-tu appris à partir de ce diagramme ?

J'ai appris que ______________________________

____

J'ai appris que ______________________________

____

OBJECTIF | Les élèves lisent et interprètent un diagramme sur les dinosaures et posent des questions sur ce diagramme.

Nom : ______________________ Date : ______________________

Une balade au parc

Aimes-tu aller au parc ?

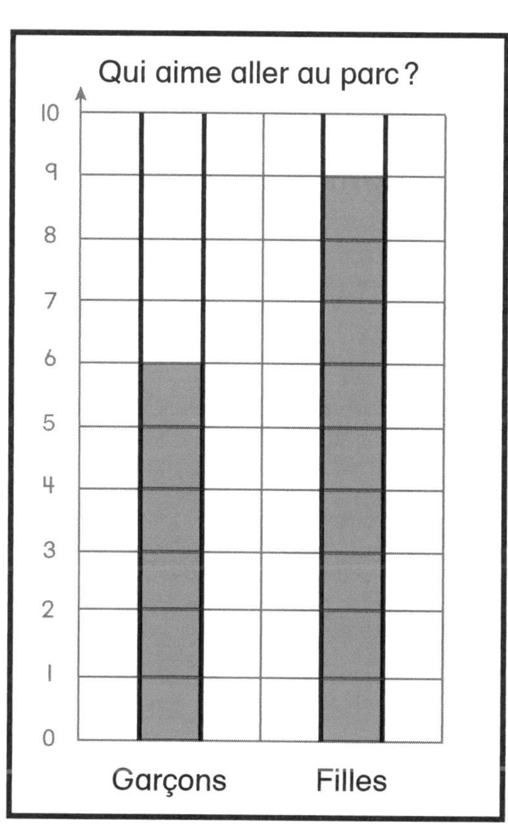

Qu'est-ce que le diagramme indique ? Comment le sais-tu ?

____

____

Voici une question que j'aimerais poser au sujet des données du diagramme :

____

____

OBJECTIF | Les élèves lisent et interprètent un diagramme à bandes. Ils posent une question au sujet des données.

Nom : ______________________ Date : ______________________

Plus grand ou plus petit ?

1. Avant de jouer, fais tes prédictions. Est-ce que la plupart des sommes vont être plus grandes ou plus petites que ton nombre ?

Encercle ta prédiction : **plus grandes** ou **plus petites.**

Explique ton raisonnement avec des dessins, des nombres ou des mots.

2. Construis un diagramme sur la page suivante pour représenter tes résultats.

3. Est-ce que tes résultats correspondent à tes prédictions ? **oui** **non**

4. Écris 2 énoncés au sujet de tes résultats.

____

____

5. À ton avis, que va-t-il se passer si tu joues une autre fois ?
Explique ton raisonnement avec des dessins, des nombres ou des mots.

OBJECTIF | Les élèves choisissent un nombre entre 9 et 15. Ils tournent ensuite deux cartes et indiquent si la somme des nombres est plus grande ou plus petite que leur nombre. Ils continuent jusqu'à ce qu'ils aient tourné toutes les cartes, puis ils représentent graphiquement les résultats.

Nom : ______________________ Date : ______________________

Nos résultats

Joue à « Plus grand ou plus petit ? ».
Construis un tableau des effectifs.

Résultats	Pointage
Sommes plus petites que ____	
Sommes égales à ____	
Sommes plus grandes que ____	

Construis un diagramme à bandes pour représenter les résultats.

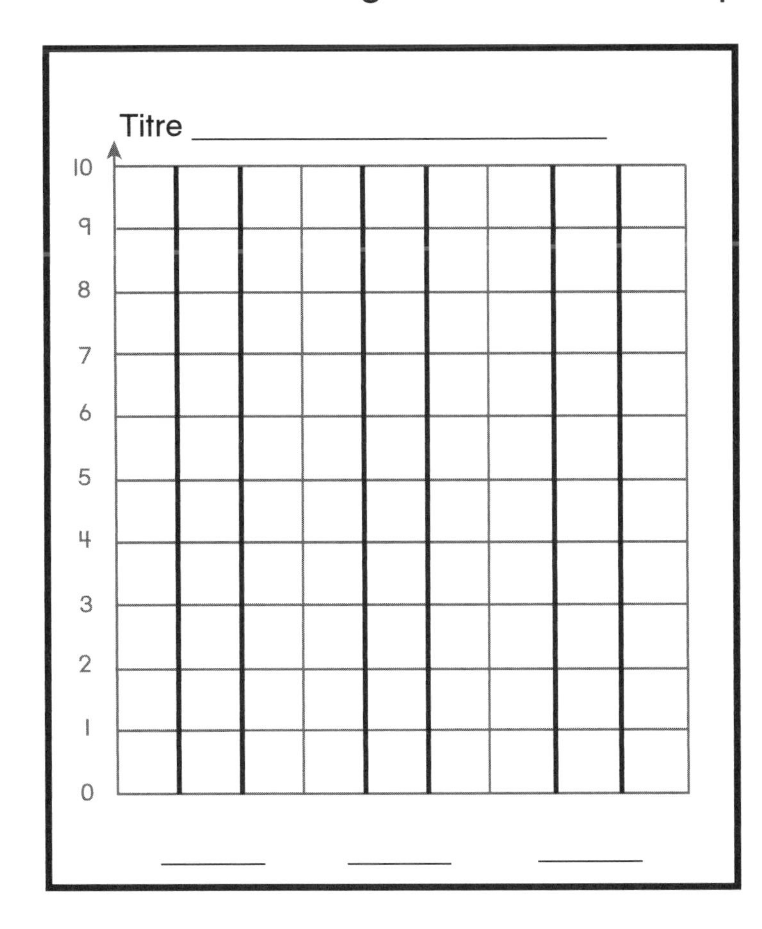

À LA MAISON 

Utilisez un dé numéroté pour jouer à « Pair ou impair ? » avec votre enfant. Lancez le dé deux fois et trouvez la somme des nombres obtenus. Si la somme est impaire, une personne gagne un point. Si la somme est paire, l'autre personne gagne un point.

OBJECTIF | Les élèves construisent un tableau des effectifs et un diagramme à bandes pour présenter les résultats du jeu « Plus grand ou plus petit ? ».

Nom : ______________________ Date : ______________________

Mon journal

Indique ce que tu as appris au sujet des roulettes et explique comment elles fonctionnent.

____

____

____

____

____

____

À quoi servent les diagrammes ?

____

____

____

____

____

OBJECTIF | Les élèves utilisent des dessins, des nombres ou des mots pour réfléchir sur ce qu'ils ont appris au sujet du traitement des données et de la probabilité.

Les solides

OBJECTIF | Les élèves nomment et décrivent des solides.

Nom : ______________________ Date : ______________________

Chers parents, tuteur ou tutrice,

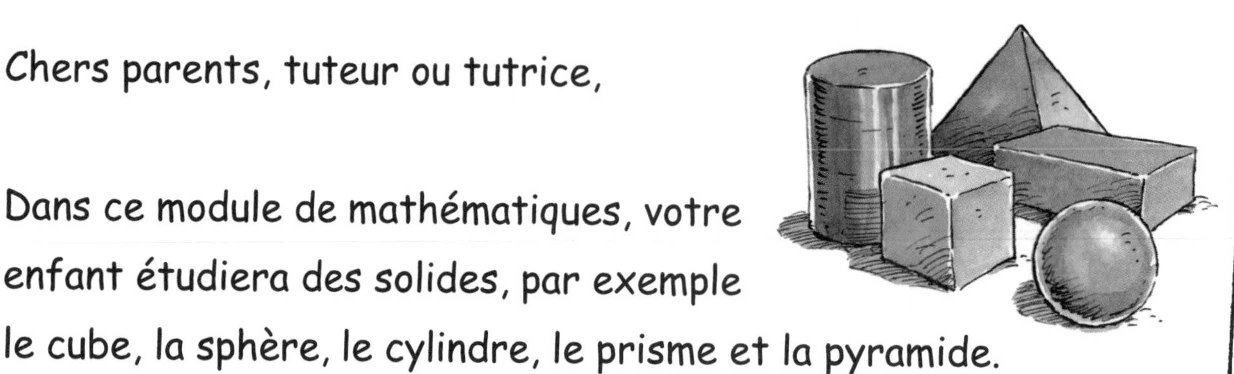

Dans ce module de mathématiques, votre enfant étudiera des solides, par exemple le cube, la sphère, le cylindre, le prisme et la pyramide.

Voici les objectifs d'apprentissage de ce module :

- Décrire, comparer et classer des solides selon leurs attributs. Par exemple, ceux qui roulent ou qui s'empilent, ceux qui ont des faces courbes ou planes.
- Construire des structures avec des solides.
- Construire des charpentes de solides.
- Décrire les solides avec un vocabulaire précis tel que *pyramide, prisme, face* et *arête.*

Vous pouvez aider votre enfant à atteindre ces objectifs en faisant à la maison les activités suggérées au bas de certaines pages.

Nom : ______________________ Date : ______________________

Notre construction

Nous avons construit ______________________ .

Nous avons utilisé ces solides.

Solide	Nombre
cube	
sphère	
cylindre	
prisme rectangulaire	
cône	
pyramide	

Nous avons utilisé ________ solides en tout.

OBJECTIF | Les élèves construisent un édifice avec des solides. Ils indiquent le nombre de solides de chaque sorte qu'ils ont utilisés.

Nom : ______________________ Date : ______________________

Une règle de classement

Choisis une règle de classement.

Ma règle de classement est ______________________

______________________.

Encercle les objets qui correspondent à ta règle de classement.

De quelle autre façon peux-tu classer les solides ?

Écris une autre règle de classement. ______________________

____

Fais un ✘ sur les objets qui correspondent à ta nouvelle règle.

OBJECTIF | Les élèves établissent deux règles de classement et indiquent les objets qui satisfont chaque règle.

Nom : ______________________ Date : ______________________

Les solides semblables

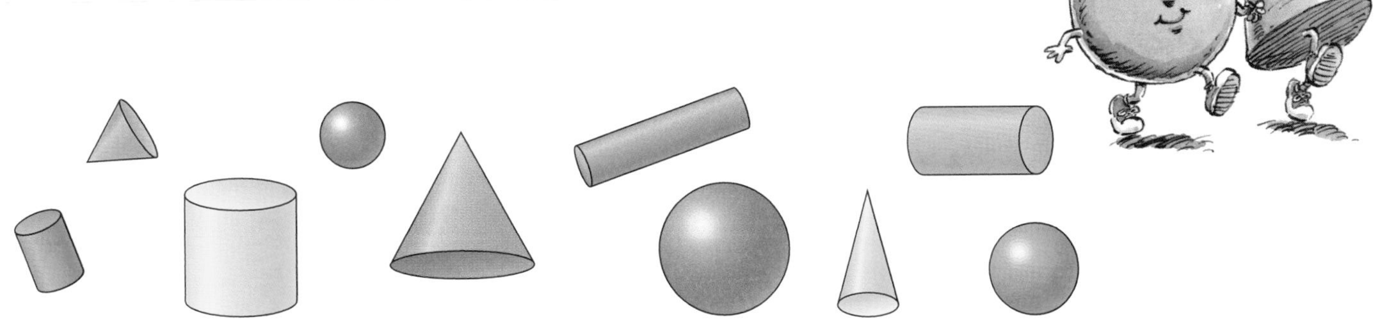

Tous ces solides ont ______________________.

Ils peuvent tous ______________________.

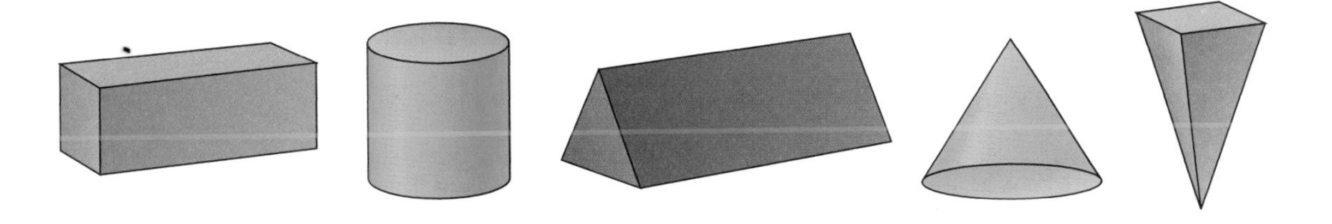

Tous ces solides ont ______________________.

Ils peuvent tous ______________________.

Dans quel groupe placerais-tu un cube ? Explique ta réponse.

____

____

À LA MAISON 

Demandez à votre enfant de trouver un objet qui peut aller dans le premier groupe et de dire pourquoi. Recommencez pour le deuxième groupe.

OBJECTIF | Les élèves nomment les attributs communs de groupes d'objets.

Nom : ______________________ Date : ______________________

Semblable et différent

Quel solide as-tu reçu en classe ?

Encercle-le. Souligne son nom dans le tableau.

Choisis un autre solide.

Encercle-le. Souligne le nom de ton solide dans le tableau.

Compte les faces, les arêtes et les sommets de tes solides.
Remplis le tableau.

	Prisme rectangulaire **Prisme triangulaire** **Pyramide**	**Cône** **Cylindre** **Sphère** **Cube**
Nombre de faces		
Nombre d'arêtes		
Nombre de sommets		

Quelles sont les ressemblances entre les deux solides ? ______________________

____

Quelles sont les différences ? ______________________

____

OBJECTIF | Les élèves notent le nombre de faces, d'arêtes et de sommets de deux solides. Ils comparent ensuite les solides selon leurs attributs.

Nom : ______________________ Date : ______________________

Combien y a-t-il de faces ?

Une [pyramide] a 5 faces.
Trace le contour des faces du solide.

Combien y a-t-il de [carré] ? ______ Combien y a-t-il de [triangle] ? ______

Un [prisme] a 6 faces.
Trace le contour des faces du solide.

Combien y a-t-il de [carré] ? ______ Combien y a-t-il de [rectangle] ? ______

Quelles sont les ressemblances entre les deux solides ?

____

Quelles sont les différences ?

____

OBJECTIF | Les élèves tracent le contour des faces de deux solides et indiquent le nombre de faces de chaque sorte. Ils comparent ensuite les solides.

Nom : ____________________ Date : ____________________

J'utilise les indices

Utilise des solides comme ceux-ci.

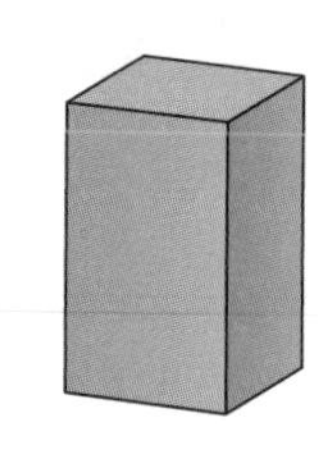
prisme rectangulaire

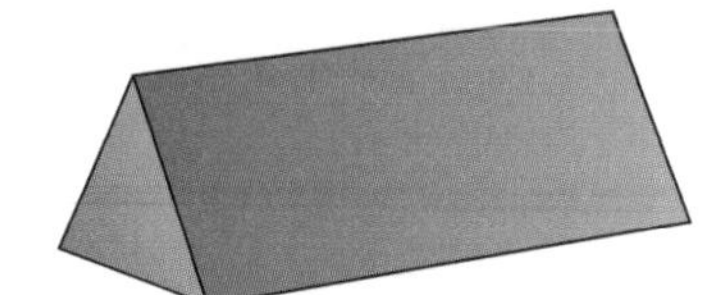
prisme triangulaire

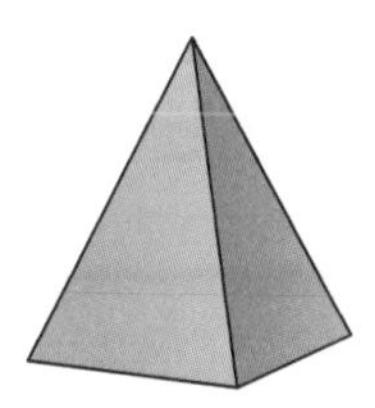
pyramide

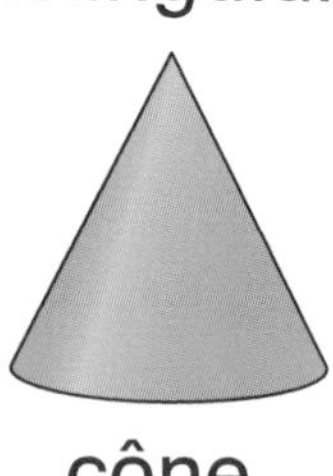
cône

cylindre

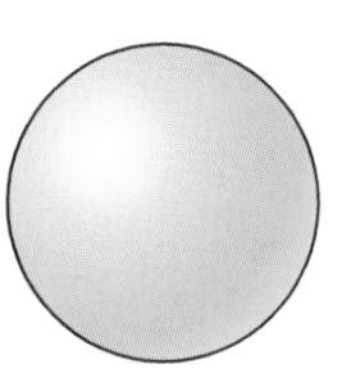
sphère

Remplis le tableau à l'aide des indices.

Indice	Solide
le plus grand nombre de faces	
un seul sommet (pointe)	
deux faces circulaires	
cinq sommets (pointes)	
deux faces triangulaires	
aucun sommet (pointe)	

À LA MAISON 

Avec votre enfant, partez à la chasse aux objets qui ont la forme de cubes, de prismes rectangulaires, de prismes triangulaires et de pyramides. Dites à votre enfant de choisir deux objets et de nommer leurs ressemblances et leurs différences.

OBJECTIF Les élèves reconnaissent des solides avec des indices sur les faces, les arêtes et les sommets.

Nom : ______________________ Date : ______________________

Le défi structure

Encercle la structure que tu vas construire.

- la structure la plus large
- un château avec au moins une pyramide
- une structure avec seulement des prismes
- la structure la plus solide
- une structure avec une rampe
- la structure la plus haute
- une structure avec exactement huit solides
- une tour d'observation
- une structure avec deux cylindres
- une structure avec un solide de chaque sorte

Construis ta structure.

Explique ce que tu as fait.
Utilise des dessins, des nombres ou des mots.

OBJECTIF | Les élèves choisissent une structure à construire et expliquent comment ils l'ont construite.

Nom : ______________________ Date : ______________________

Ma maison préférée

Quelle maison préfères-tu ?
Encercle ton choix.

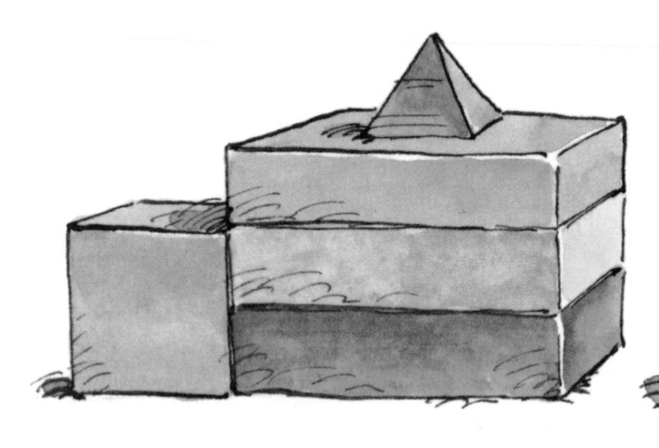

Explique ton choix. ______________________

____

Montre comment tu peux construire la maison avec des solides.
Utilise des dessins, des nombres ou des mots.

À LA MAISON 

Amassez des boîtes, des rouleaux d'essuie-tout et des entonnoirs. Avec votre enfant, construisez des structures à tour de rôle (comme une grande tour ou une structure comprenant au moins six objets). Pensez à voix haute pour que votre enfant entende votre raisonnement.

OBJECTIF Les élèves choisissent leur maison préférée. Ils expliquent leur choix et montrent comment construire la maison avec des solides.

Nom : ______________________________ Date : ______________________________

Des solides en pâte à modeler

Quelle image as-tu choisie ?
Encercle-la.

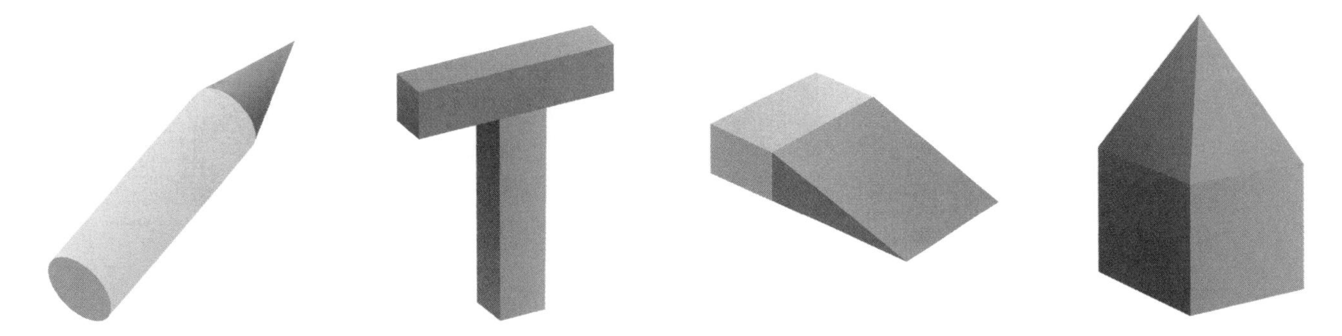

Comment as-tu utilisé les solides pour reproduire ton modèle ?
Explique ta réponse avec des dessins, des nombres ou des mots.

OBJECTIF | Les élèves montrent comment ils ont reproduit le modèle d'une structure de la page 29 du *Grand livre*.

Nom : ______________________ Date : ______________________

Je fais des solides

Fais un de ces solides avec de la pâte à modeler.

Montre comment tu as fait ton solide.
Donne des conseils utiles pour une personne qui veut faire ce solide.

Utilise des dessins, des nombres ou des mots.

Quels solides préfères-tu pour construire des structures ? Pourquoi ?

____

OBJECTIF | Les élèves font un solide en pâte à modeler et expliquent comment ils ont fait.

Nom : ______________________________ Date : ______________________________

Je vois des solides

Combien de pyramides et de prismes vois-tu ?

	Nombre de prismes rectangulaires	Nombre de prismes triangulaires	Nombre de pyramides

À LA MAISON 

Invitez votre enfant à faire des solides avec de la pâte à modeler. Demandez-lui combien de faces, d'arêtes et de coins a chaque solide.

OBJECTIF Les élèves comptent les prismes rectangulaires, les prismes triangulaires et les pyramides dans les images et écrivent les nombres.

Nom : ______________________ Date : ______________________

Des charpentes

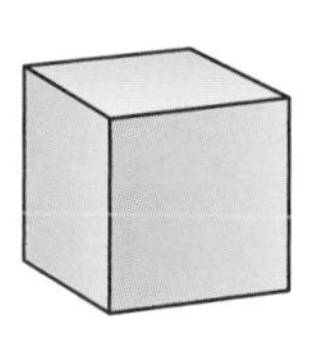

cube

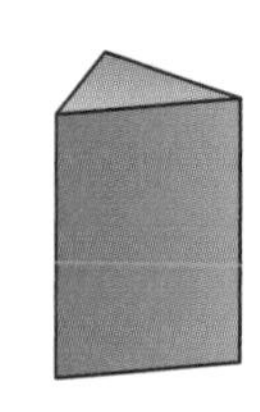

prisme triangulaire

prisme rectangulaire

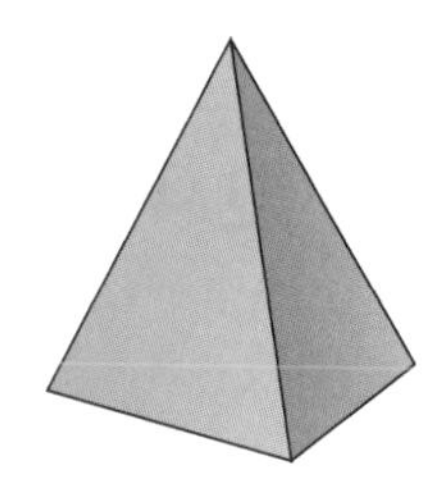

pyramide à base rectangulaire

Associe chaque charpente à un solide.

Voici la charpente d'un ______________________.

Comment le sais-tu ? ______________________

____

____

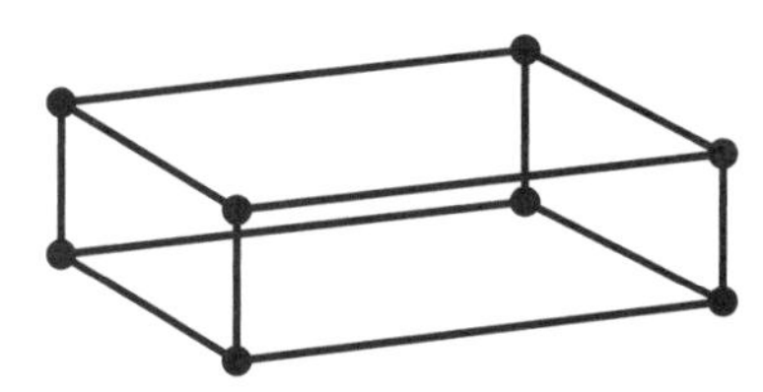

Voici la charpente d'une ______________________.

Comment le sais-tu ? ______________________

____

____

Voici la charpente d'un ______________________.

Comment le sais-tu ? ______________________

____

____

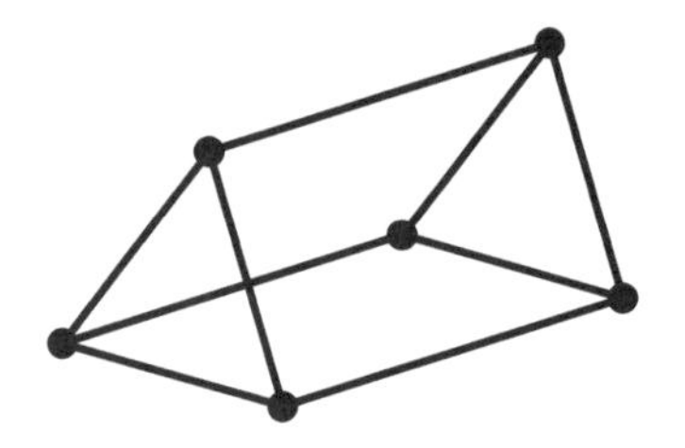

OBJECTIF | Les élèves nomment le solide représenté par une charpente et expliquent leur raisonnement.

Nom : ______________________ Date : ______________________

Je construis une charpente

Construis une charpente avec des pailles
et de la pâte à modeler.

J'ai construit la charpente d' ______________________.

Écris combien tu as utilisé

de pailles longues. _______

de pailles courtes. _______

de morceaux de pâtes à modeler. _______

Écris deux conseils pour construire ta charpente.

1. ____

____

____

2. ____

____

____

Il est impossible de construire la charpente d'une ______________

Pourquoi ? ____

OBJECTIF | Les élèves construisent une charpente avec des pailles et de la pâte à modeler. Ils donnent des conseils pour la construction.

À LA MAISON 

Demandez à votre enfant : « Quelles sont les étapes de la construction de ta charpente ? »

Nom : ______________________ Date : ______________________

La charpente d'un cube

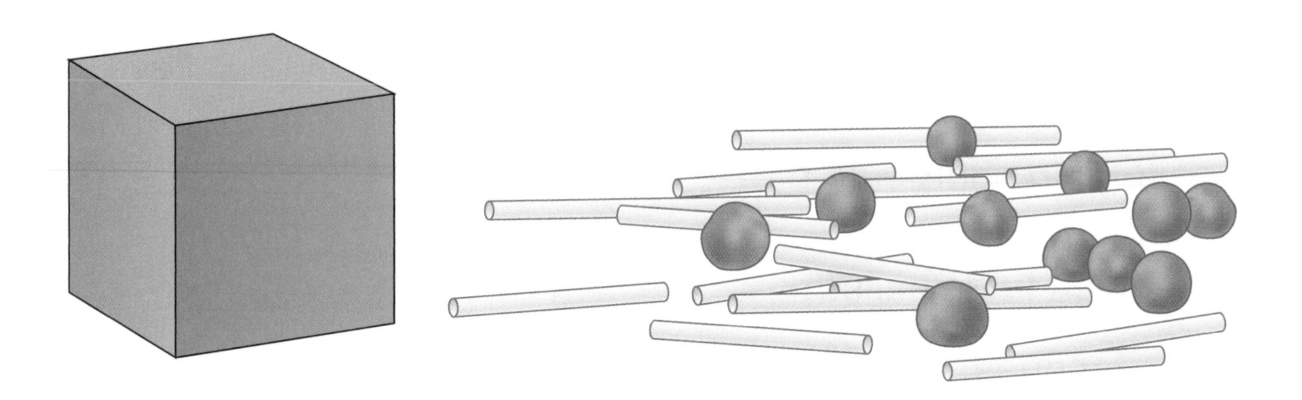

Planifie la charpente d'un cube.

Combien de pailles et de morceaux de pâte à modeler te faut-il ?

Remplis le tableau.

Solide	Nombre de pailles	Nombre de morceaux de pâte à modeler
cube		

Explique ce que tu as fait. Utilise des dessins, des nombres ou des mots.

OBJECTIF | Les élèves trouvent le nombre de pailles et de morceaux de pâte à modeler (joints) nécessaires pour construire la charpente d'un cube. Ils expliquent ce qu'ils ont fait.

Nom : ______________________ Date : ______________________

La charpente d'un prisme ou d'une pyramide

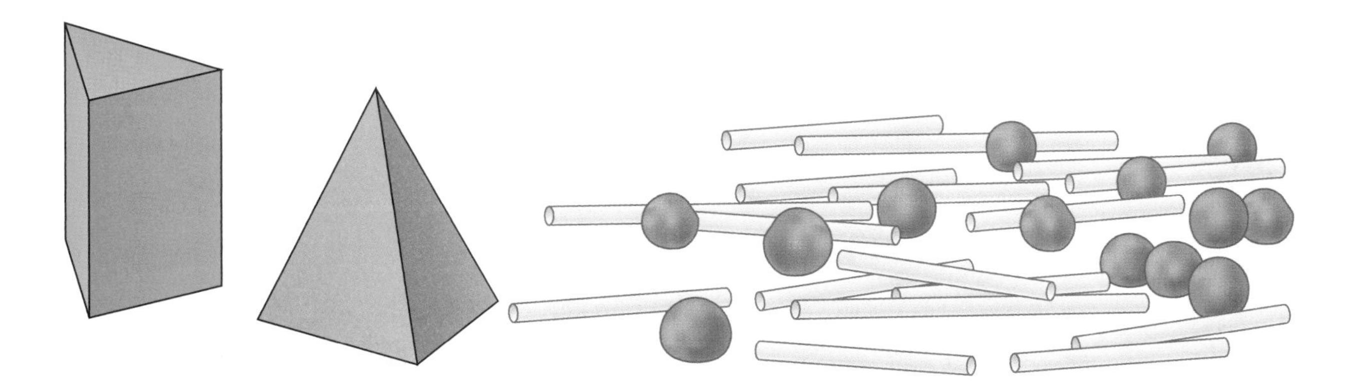

Choisis un solide.

Combien de pailles et de morceaux de pâte à modeler te faut-il pour construire la charpente de ton solide ?

Remplis le tableau.

Mon solide	Nombre de pailles longues	Nombre de pailles courtes	Nombre de morceaux de pâte à modeler

Explique ce que tu as fait. Utilise des dessins, des nombres ou des mots.

OBJECTIF | Les élèves trouvent le nombre de pailles et de morceaux de pâte à modeler (joints) nécessaires pour construire la charpente d'un solide. Ils expliquent ce qu'ils ont fait.

Nom : ______________________ Date : ______________________

Une fusée bien remplie !

Les astronautes apportent ces objets dans l'espace.

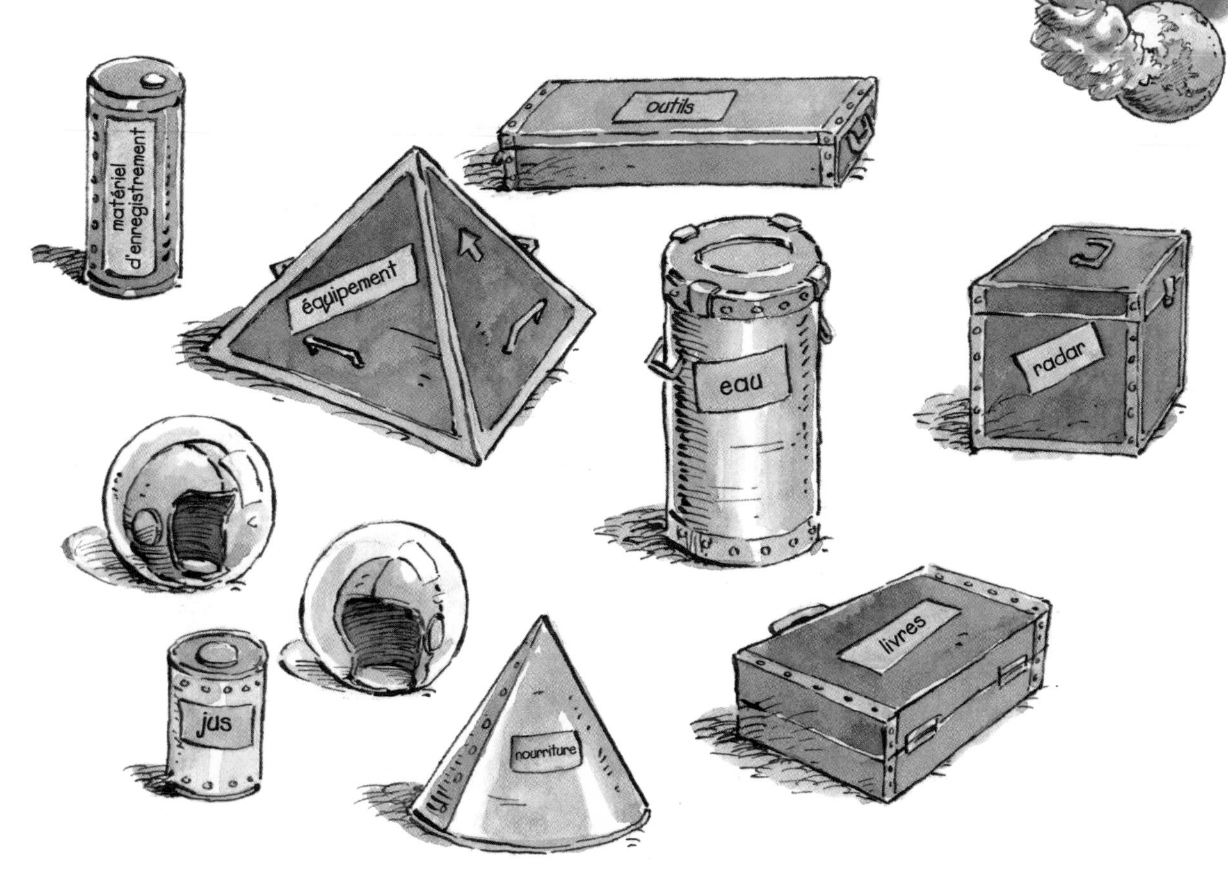

Les astronautes doivent ranger les objets dans trois bacs.

Choisis une règle de classement pour chaque bac.
Indique les objets que tu mets dans chaque bac.

Encercle les objets qui vont dans le bac 1.
Les objets vont ensemble parce qu'ils ont tous ________________.

Fais un ✘ sur les objets qui vont dans le bac 2.
Les objets vont ensemble parce qu'ils ont tous ________________.

Fais un ✔ sur les objets qui vont dans le bac 3.
Les objets vont ensemble parce qu'ils ont tous ________________.

OBJECTIF | Les élèves classent des objets dans trois bacs et expliquent leur raisonnement.

Nom : ______________________ Date : ______________________

Je construis une fusée

De quels solides as-tu besoin pour construire cette fusée ?

Fais les solides en pâte à modeler.
Assemble-les comme dans l'image.

Pense à une autre structure que tu peux construire.
Utilise des solides pour la construire.

Combien de solides as-tu utilisés ? ______________________

Solide	Nombre de solides dans la fusée	Nombre de solides dans ma structure
cube		
prisme rectangulaire		
prisme triangulaire		
pyramide		
cône		
cylindre		
sphère		

OBJECTIF | Les élèves font deux structures. Ils notent le nombre de solides utilisés dans chacune.

Nom : ______________________ Date : ______________________

Mon journal

Décris la fusée et la structure que
tu as construites.
Utilise des dessins, des nombres ou des mots.

Qu'as-tu appris sur les solides ?
Montre ton raisonnement avec des dessins, des nombres ou des mots.

À LA MAISON 

Invitez votre enfant à ranger l'épicerie avec vous. Discutez du rangement de certains emballages ou aliments.

OBJECTIF | Les élèves décrivent la fusée et la structure qu'ils ont construites. Ils montrent ce qu'ils ont appris sur les solides dans ce module.

J'additionne et je soustrais jusqu'à 100

OBJECTIF | Les élèves représentent le nombre 67 de différentes façons.

Nom : ______________________ Date : ______________________

Chers parents, tuteur ou tutrice,

Dans ce module de mathématiques, votre enfant apprendra à additionner et à soustraire des nombres à 2 chiffres ainsi qu'à développer un algorithme pour trouver et noter des solutions.

Voici les objectifs d'apprentissage de ce module :

- Représenter des additions et des soustractions de nombres à 2 chiffres dans un tableau de valeur de position.
- Utiliser l'algorithme conventionnel pour additionner et soustraire des nombres à 2 chiffres.
- Créer et résoudre des problèmes d'addition et de soustraction.
- Utiliser une calculatrice pour résoudre des problèmes d'addition et de soustraction avec des nombres supérieurs à 50.

Vous pouvez aider votre enfant à atteindre ces objectifs en faisant à la maison les activités suggérées au bas de certaines pages.

Nom : ______________________ Date : ______________________

Je choisis un nombre

Choisis le numéro d'un joueur. Encercle le nombre.

Représente ton nombre d'au moins 2 façons.

Choisis un autre numéro. Fais un carré autour du nombre.
Compare ce nombre avec ton premier nombre.
Utilise des dessins, des nombres ou des mots.

Trouve 2 nombres qui se trouvent entre tes nombres.

____

Objectif | Les élèves représentent un nombre de différentes façons et comparent des nombres.

À LA MAISON 

Si votre enfant a une collection (autocollants, peluches, roches, modèles réduits), réunissez quelques objets de cette collection et dites à votre enfant de les compter d'au moins 2 façons.

Nom : ______________________ Date : ______________________

Même nombre, différentes façons

Choisis un nombre à 2 chiffres.
Représente-le dans un tableau de valeur de position.
Dessine ton tableau de valeur de position.

_______ dizaines plus _______ unités égale ___________ en tout.

Utilise le même nombre à 2 chiffres.
Représente-le d'une autre façon dans un tableau de valeur de position.
Dessine ton tableau de valeur de position.

_______ dizaines plus _______ unités égale ___________ en tout.

OBJECTIF | Les élèves choisissent un nombre à 2 chiffres et le représentent de différentes façons avec des cubes emboîtables et des réglettes.

Nom : ________________________ Date : ________________________

Où est mon équivalent ?

Relie les tableaux de valeur de position qui représentent le même nombre.

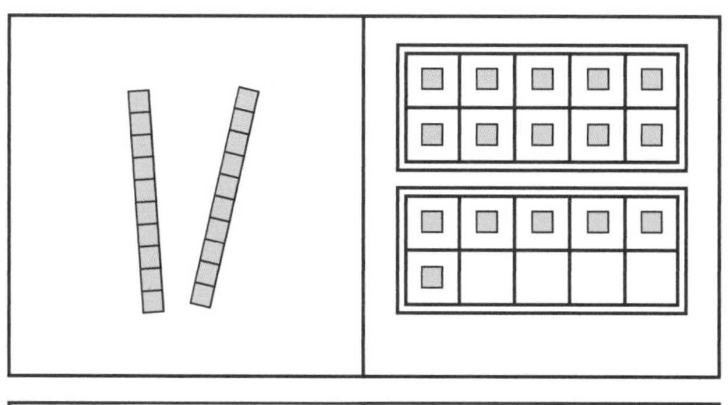

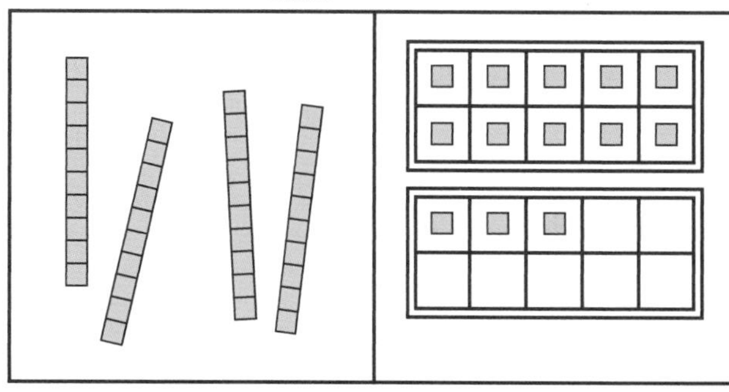

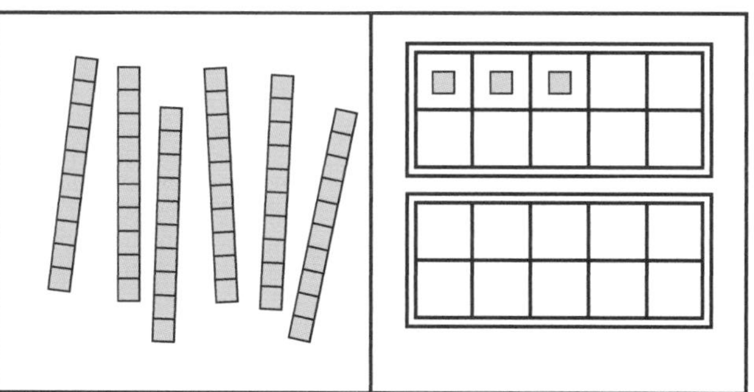

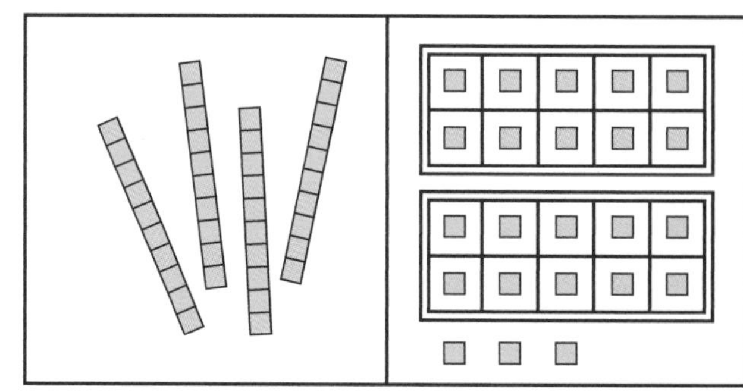

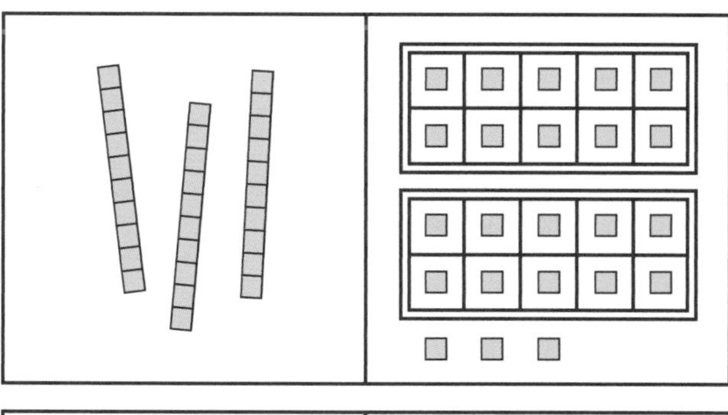

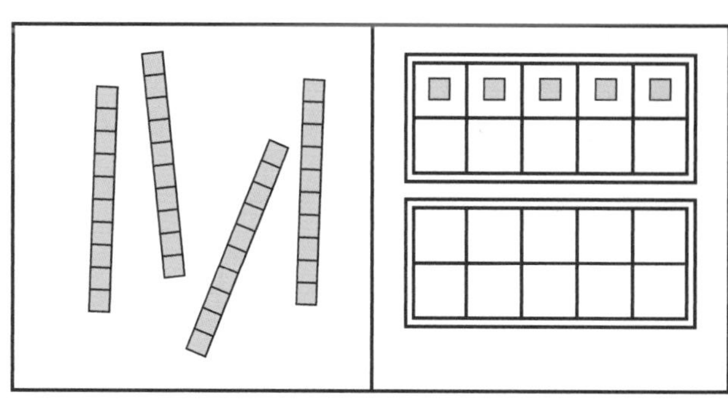

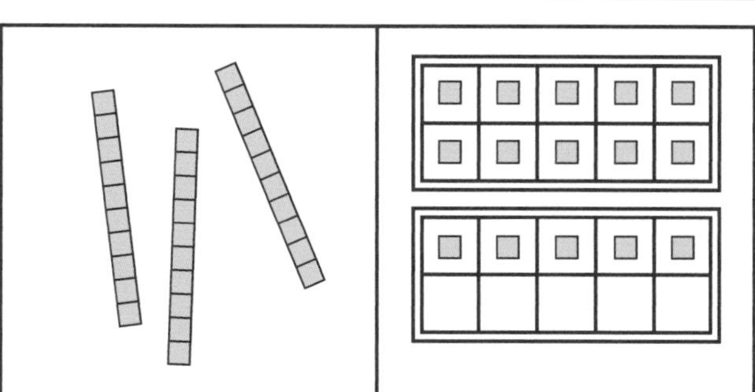

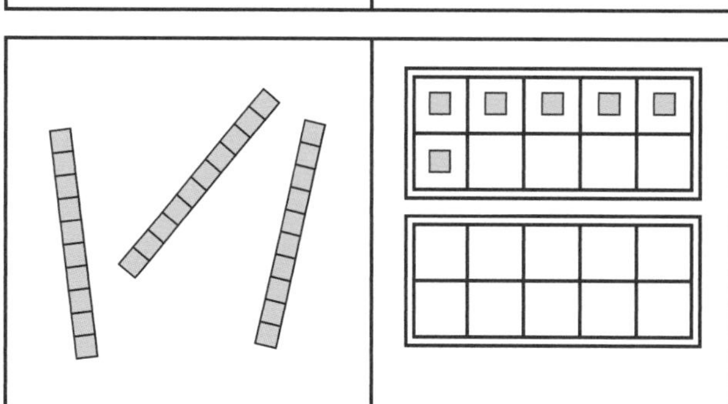

OBJECTIF | Les élèves reconnaissent des nombres équivalents dans des tableaux de valeur de position.

À LA MAISON 

Faites des chaînes de trombones ou de bandes élastiques pour représenter le nombre 26 (2 chaînes de 10 et 1 chaîne de 6). Demandez à votre enfant d'écrire le nombre de 3 façons.

Nom : ______________________ Date : ______________________

Tout un spectacle !

Les enfants de 2e année organisent un spectacle.
Ils distribuent 28 billets bleus.
Ils distribuent aussi 37 billets jaunes.
Combien de billets ont-ils distribués en tout ?

Utilise du matériel. Résous le problème.
Montre ta réponse.

Montre une autre façon de résoudre le problème.

OBJECTIF | Les élèves utilisent les concepts de base dix et du matériel pour résoudre une addition.

Nom : ____________________ Date : ____________________

Le spectacle

Le spectacle de 2e année a lieu au gymnase.
Les élèves apportent 55 chaises dans le gymnase.
Il faut 25 chaises de plus.
Combien de chaises faut-il
en tout ?

Utilise du matériel.
Résous le problème.
Montre ta réponse.

Les élèves de 2e année servent des boissons après le spectacle.
Sarah remplit des gobelets de limonade.
Kali distribue 24 gobelets de limonade.
Il reste 18 gobelets de limonade
sur la table.
Combien de gobelets de limonade
Sarah a-t-elle remplis en tout ?

Résous le problème.
Montre ton travail.

Invente ton propre problème et résous-le.

____

____

____

____

OBJECTIF | Les élèves inventent et résolvent des problèmes d'addition avec des concepts de la valeur de position.

Nom : ______________________ Date : ______________________

Un peu de ménage !

Après le spectacle, les élèves de 2e année font du ménage.
Il y a :

- 28 ballons rouges ;
- 28 ballons bleus ;
- 36 serpentins blancs ;
- 18 serpentins bleus ;
- 37 gobelets propres ;
- 43 gobelets sales.

Invente un problème sur le ménage des élèves de 2e année. Résous-le. Montre ton travail avec des dessins, des nombres ou des mots.

Invente un autre problème. Échange ton problème contre celui d'une ou d'un camarade. Résous le problème que tu reçois.

Nom de ta ou de ton camarade

____

OBJECTIF | Les élèves inventent et résolvent des problèmes d'addition avec des concepts de la valeur de position.

Nom : ______________________ Date : ______________________

Tout s'additionne !

À ton avis, quelles additions ont besoin d'un échange ? Encercle-les.

Utilise du matériel et un tableau de valeur de position. Résous les additions que tu as encerclées.

22 + 23 = _____	67 + 26 = _____	53 + 20 = _____
9 + 40 = _____	34 + 57 = _____	19 + 49 = _____

Écris les additions qui n'ont pas besoin d'un échange. Résous-les.

____

____

Comment reconnais-tu les additions qui ont besoin d'un échange ?

____

____

OBJECTIF Les élèves déterminent les additions qui demandent de faire un échange et trouvent les sommes avec du matériel.

À LA MAISON 

Donnez à votre enfant des pailles ou des cure-dents ainsi que tout autre objet pour former des groupes de 10. Faites-lui représenter l'une des additions de cette page.

Nom : ____________________ Date : ____________________

Je compte les coquillages

Léa collectionne des coquillages.
Elle a 36 coquillages.
Elle en trouve 28 de plus sur la plage.
Combien de coquillages Léa a-t-elle en tout ?

Représente l'addition dans un tableau de valeur de position.
Dessine ton tableau ici.
Écris ensuite l'addition avec des nombres.

+	

Quelles sont les ressemblances entre les deux façons de trouver la réponse ?

____

____

Quelles sont les différences ?

____

____

Objectif | Les élèves utilisent du matériel pour résoudre une addition selon l'algorithme conventionnel. Ils notent leur travail.

Nom : ______________________________ Date : ______________________________

Dans la cour d'école

Il y a 37 élèves dans la cour d'école.
L'autobus amène 25 élèves de plus.
Combien d'élèves y a-t-il dans la cour d'école maintenant ?

Représente l'addition dans un tableau de valeur de position.
Dessine ton tableau ici. Écris ensuite l'addition avec des nombres.

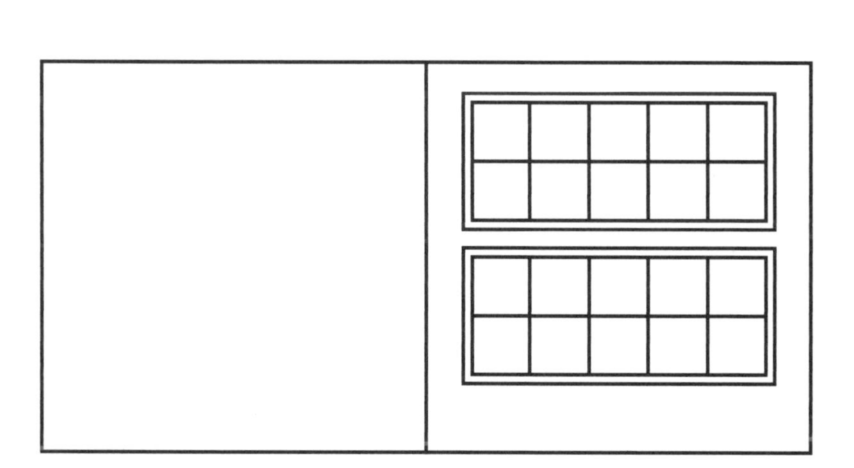

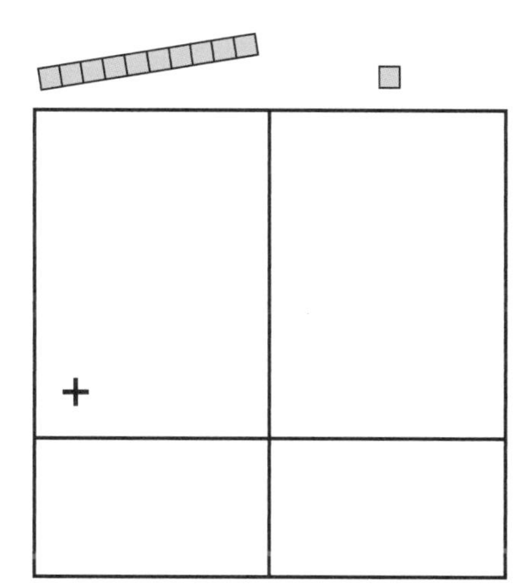

Représente ces additions.
Note les sommes dans les tableaux.

7	4
+ 1	7

2	8
+ 2	3

3	9
+ 2	0

3	1
+ 1	9

OBJECTIF | Les élèves utilisent du matériel pour représenter, trouver et noter les sommes de nombres à 2 chiffres selon l'algorithme conventionnel.

Nom : ______________________ Date : ______________________

Des histoires d'addition

Représente ces additions dans un tableau de valeur de position. Écris les sommes ici.

$28 + 11$	$34 + 23$	$44 + 18$	$89 + 16$
$26 + 34$	$52 + 18$	$46 + 35$	$19 + 65$

De quelle autre façon peux-tu trouver la somme de 52 + 18 ? Utilise des dessins, des nombres ou des mots.

Choisis une addition que tu peux résoudre d'une autre façon. Utilise des dessins, des nombres ou des mots.

OBJECTIF | Les élèves trouvent les sommes selon l'algorithme conventionnel. Ils choisissent différentes façons de trouver la somme de nombres à 2 chiffres.

À LA MAISON 

Dites à votre enfant de décrire au moins deux façons de résoudre 29 + 39, avec et sans matériel.

Nom : ______________________ Date : ______________________

Les bandes dessinées

Samuel a 65 bandes dessinées.
Il en donne 28 à Annie.
Combien de bandes dessinées Samuel a-t-il maintenant ?

Utilise du matériel. Résous le problème.
Montre ton travail.

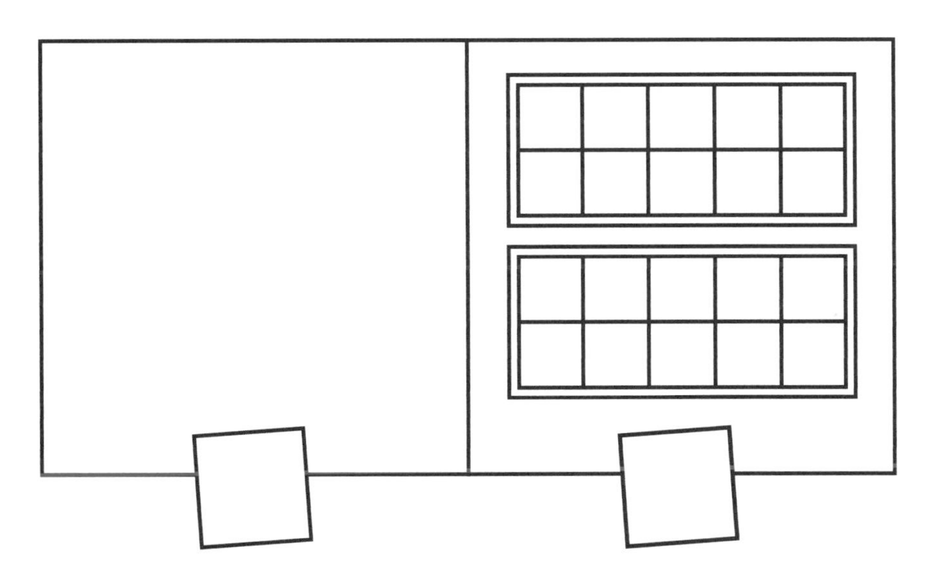

Peux-tu trouver une autre façon de résoudre le problème ?
Montre la façon ici.

OBJECTIF | Les élèves utilisent les concepts de base dix et du matériel pour résoudre une soustraction.

Nom : ______________________ Date : ______________________

Le club de lecture

Samuel et Annie font partie d'un club de lecture.
Le club peut prêter 96 bandes dessinées.
La première semaine, Annie emprunte
18 bandes dessinées.
Combien en reste-t-il ?

Utilise du matériel.
Résous le problème.
Montre ton travail.

La semaine suivante, Samuel apporte 24 bandes dessinées au club.
Annie en apporte 17.
Qui en a apporté le plus ?
Combien de plus ?

Résous le problème.
Montre ton travail.

Invente ton propre problème et résous-le.

OBJECTIF | Les élèves inventent et résolvent des problèmes avec des concepts de la valeur de position.

Nom : ______________________ Date : ______________________

Les livres les plus populaires

Invente un problème au sujet de cette liste.
Résous ton problème.
Montre ton travail avec des dessins, des nombres ou des mots.

Invente un autre problème.
Échange ton problème contre celui d'une ou d'un camarade.
Résous le problème de ta ou de ton camarade.

Nom de ta ou
de ton camarade

____

Objectif Les élèves inventent et résolvent des problèmes avec des concepts de la valeur de position. Ils résolvent le problème d'une ou d'un camarade.

Nom : ______________________ Date : ______________________

Quelle est la différence ?

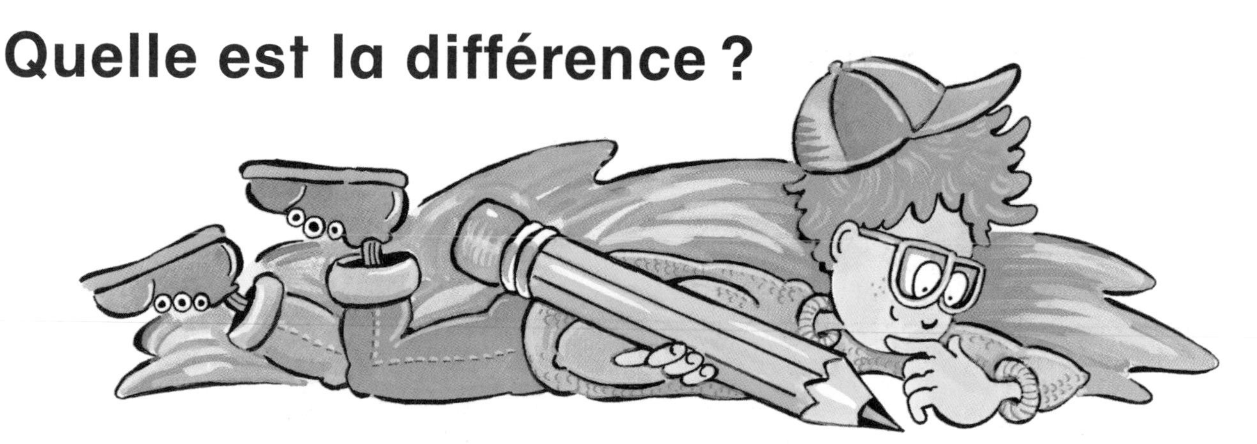

À ton avis, quelles soustractions ont besoin d'un échange ? Encercle-les.

Utilise un tableau de valeur de position pour résoudre les soustractions que tu as encerclées.

69 – 39 = _____ 53 – 14 = _____ 65 – 26 = _____

33 – 18 = _____ 64 – 57 = _____ 93 – 30 = _____

Écris les problèmes qui n'ont pas besoin d'un échange. Résous ces problèmes.

Objectif

Les élèves reconnaissent les soustractions qui ont besoin d'un échange et trouvent les différences avec du matériel. Ils effectuent les autres soustractions de la façon de leur choix.

À LA MAISON 

Invitez votre enfant à vous parler d'un énoncé mathématique qui a besoin d'un échange. Demandez-lui : « Comment le tableau de valeur de position t'aide-t-il à trouver la réponse ? »

Nom : ______________________ Date : ______________________

Je compte les fossiles

Environ combien de fossiles ?

Le professeur Lapierre a une collection de 53 fossiles qui sont des coquillages et des roches. Jade compte 27 coquillages. Combien de roches a le professeur Lapierre ?

Représente la soustraction dans un tableau de valeur de position. Dessine ton tableau ici. Écris ensuite la soustraction avec des nombres.

–	

Quelles sont les ressemblances entre ton dessin et la soustraction écrite en nombres ?

____

Quelles sont les différences ?

____

OBJECTIF | Les élèves utilisent du matériel pour résoudre une soustraction selon l'algorithme conventionnel. Ils notent leur travail.

Nom : ______________________________ Date : ______________________________

Au musée

Il y a 75 enfants au musée.
36 enfants examinent les fossiles.
Les autres découvrent les cavernes.
Combien d'enfants découvrent les cavernes ?

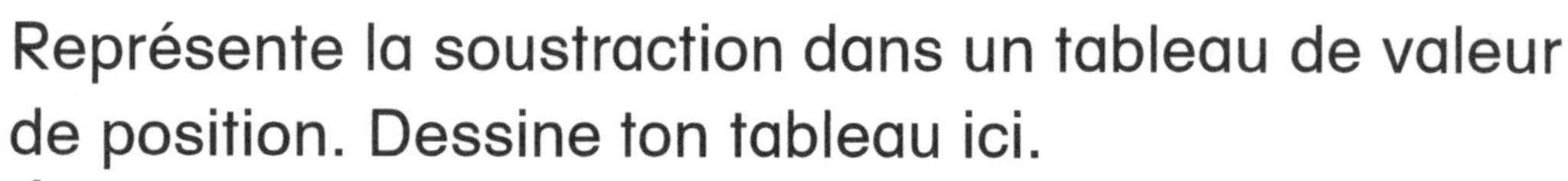

Représente la soustraction dans un tableau de valeur de position. Dessine ton tableau ici.
Écris ensuite la soustraction avec des nombres.

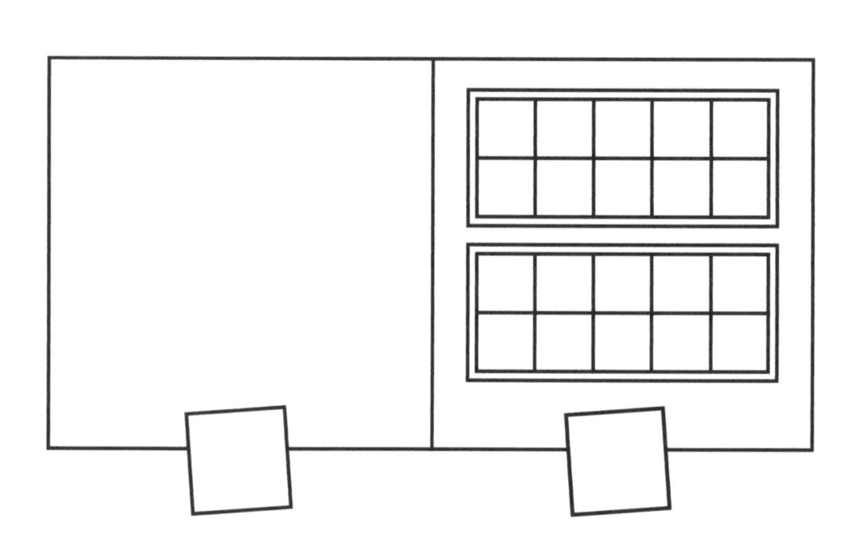

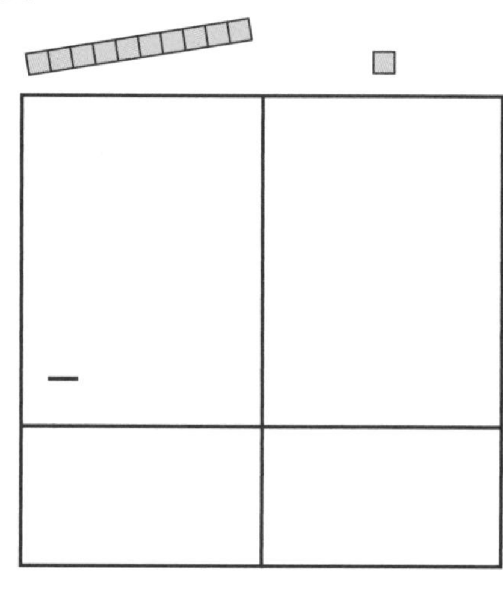

Trouve les différences.
Utilise ton matériel de base dix dans chaque cas.

7	8
− 4	5

3	2
− 1	3

5	5
− 2	8

6	7
− 2	8

Objectif | Les élèves utilisent du matériel pour représenter, trouver et écrire la différence de nombres à 2 chiffres selon l'algorithme conventionnel.

Nom : ______________________ Date : ______________________

Des histoires de soustraction

Représente ces soustractions.
Utilise des cubes emboîtables et un tableau de valeur de position. Écris tes réponses ici.

5	2
– 3	5

8	7
– 3	7

6	5
– 3	8

8	6
– 5	9

1	7
–	9

7	0
– 1	9

8	9
– 1	8

8	0
– 7	5

Montre une autre façon de trouver la différence de 70 – 19 avec des dessins, des nombres ou des mots.

Choisis une soustraction que tu peux résoudre d'une autre façon. Montre ton travail avec des dessins, des nombres ou des mots.

OBJECTIF Les élèves utilisent du matériel pour représenter des soustractions selon l'algorithme conventionnel. Ils effectuent des soustractions de différentes façons.

À LA MAISON 
Demandez à votre enfant de décrire deux façons de résoudre 80 – 75, avec et sans matériel.

Nom : ______________________ Date : ______________________

Les pièces de monnaie de Zoée

Zoée a 4 pièces de monnaie dans sa poche.
Quelles peuvent être ces pièces ?
Quelle somme d'argent Zoée peut-elle avoir ?

Montre comment tu peux résoudre le problème.
Utilise des dessins, des nombres ou des mots.

OBJECTIF | Les élèves choisissent 4 pièces de monnaie et trouvent la valeur combinée.

Nom : ______________________ Date : ______________________

Nomme les pièces de monnaie

Il y a 83 ¢ dans la tirelire de Thomas.
Thomas vide sa tirelire et compte
les pièces de monnaie.
Quelles pièces peut-il avoir ?

Montre comment tu résous le problème.
Utilise des dessins, des nombres ou des mots.

À LA MAISON 

Avec votre enfant, inventez, à tour de rôle, des devinettes avec de l'argent. Représentez une somme d'argent en secret, puis nommez la somme d'argent et le nombre de pièces de monnaie.

OBJECTIF | Les élèves choisissent une stratégie pour résoudre un problème.

Nom : ______________________ Date : ______________________

La foire du livre des élèves

Jeanne déballe 55 livres sur la nature.
Elle déballe 28 livres de jeux.
Combien de livres Jeanne déballe-t-elle en tout ?

Utilise du matériel. Montre ta réponse.

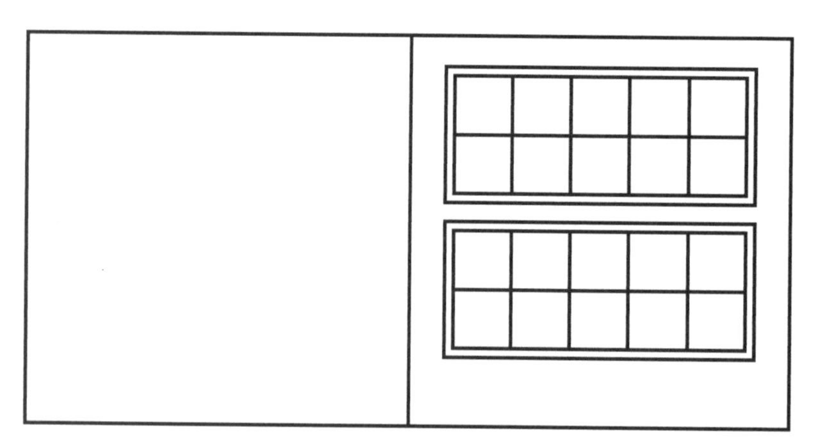

Ron met des étiquettes de prix sur les 78 livres d'images.
Jeanne met des étiquettes de prix sur les 28 livres de jeux.
Combien de livres de plus Ron a-t-il étiquetés ?

Utilise du matériel. Montre ta réponse.

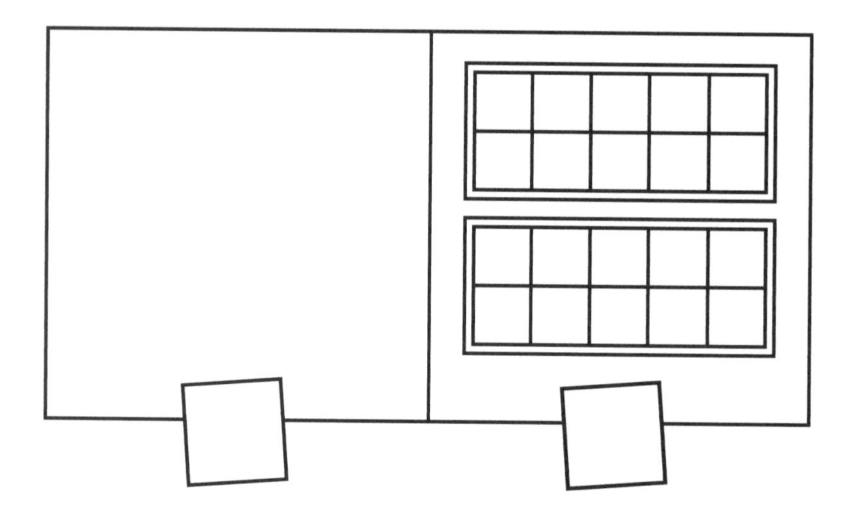

OBJECTIF | Les élèves résolvent des additions et des soustractions avec des concepts de la valeur de position. Ils utilisent un tableau de valeur de position, puis ils dessinent leurs solutions.

Nom : ____________________ Date : ____________________

Des livres en commande

	Lundi	Mardi	Mercredi
Nombre de livres commandés	26	43	79

Invente une histoire d'addition au sujet des livres commandés.
Représente ton addition dans un tableau de valeur de position.
Écris ton addition avec des nombres.

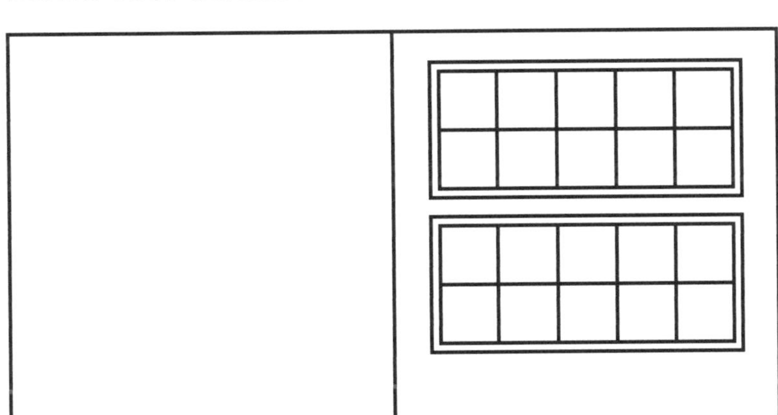

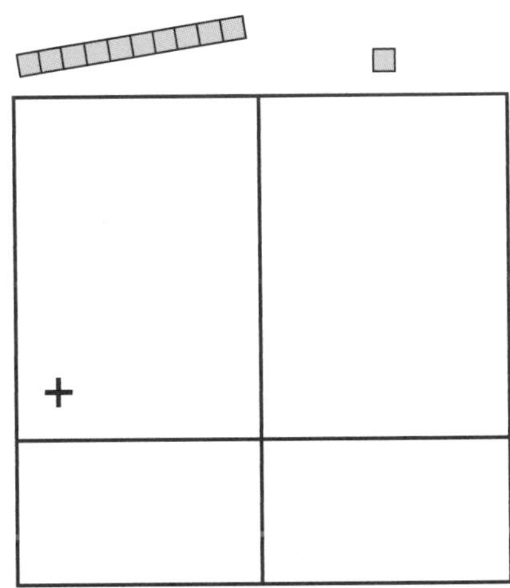

Invente une histoire de soustraction au sujet des livres commandés.
Représente ta soustraction dans un tableau de valeur de position.
Écris ta soustraction avec des nombres.

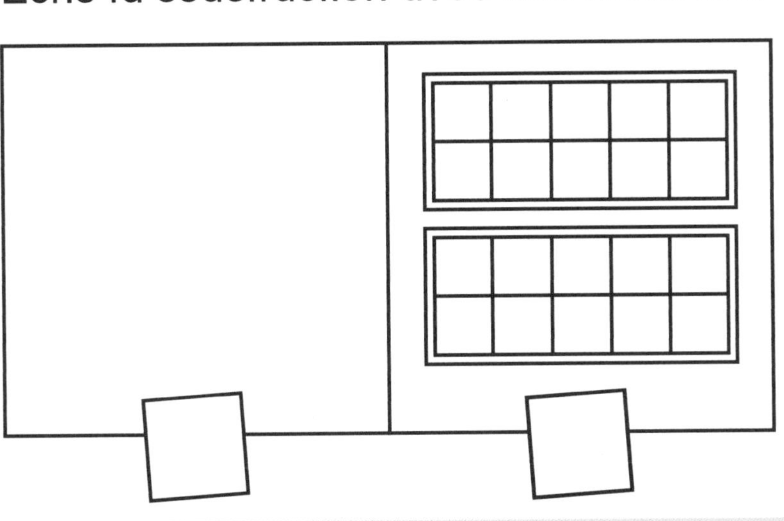

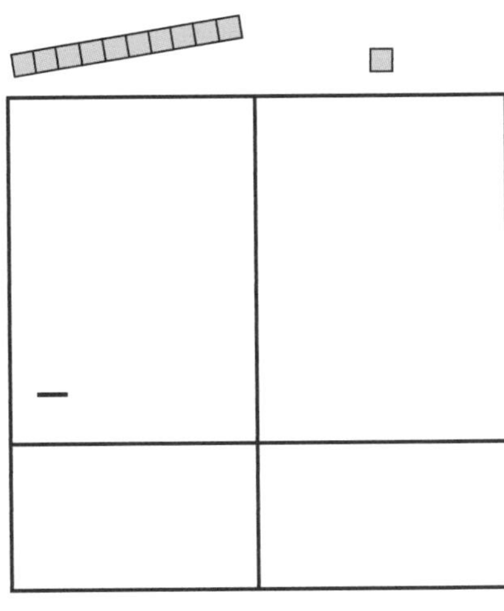

OBJECTIF | Les élèves inventent et résolvent des additions et des soustractions de nombres à 2 chiffres. Ils montrent leurs solutions avec des dessins et des nombres.

Nom : ______________________ Date : ______________________

Mon journal

Raconte ce que tu as appris sur l'addition.
Utilise des dessins, des nombres ou
des mots.

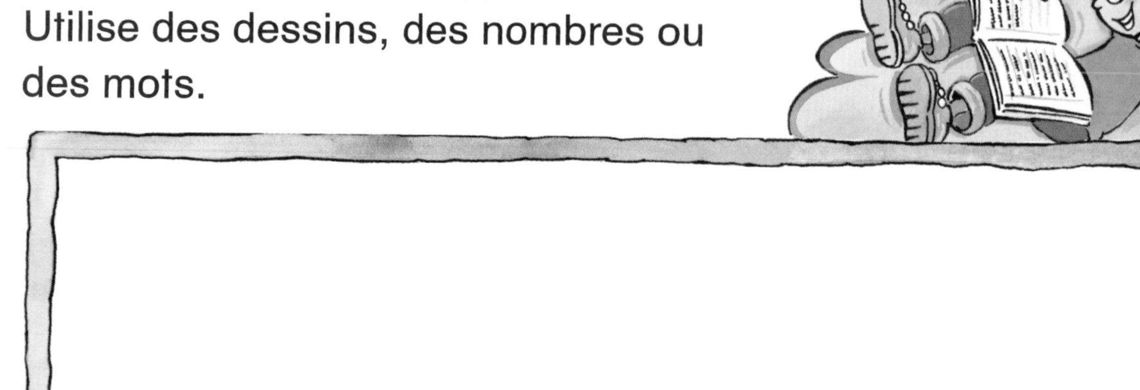

Raconte ce que tu as appris sur la soustraction.
Utilise des dessins, des nombres ou des mots.

OBJECTIF | Les élèves réfléchissent à ce qu'ils ont appris sur l'addition et la soustraction selon l'algorithme conventionnel et notent leurs réflexions.

La fête du printemps

Éloi arrive en courant et crie : « Je suis arrivé ! »
Son chien accourt pour voir qui vient d'entrer.
« Nous organisons une fête du printemps.
Voici une invitation spéciale pour toi, grand-maman ! »

Le lendemain, les élèves doivent penser à tout.
« Que mangerons-nous ? Que boirons-nous ?
Il faut prévoir des places pour les convives et décorer. »
Grand-maman se dit : « Je peux peut-être les aider. »

Madame Chu dit : « Nous accueillerons les gens à l'entrée.
En tout, 75 personnes sont invitées.
Préparons des feuillets à leur donner.
Nous garderons les autres dans cette boîte décorée. »

« Nous avons besoin d'une grande salle.
Que pensez-vous de quelques affiches florales ?
Comment placerons-nous les tables et les chaises ?
Il faut que tout le monde soit à l'aise. »

Les enfants font un remue-méninges de plus d'une heure.
« Apprenons une chanson que nous chanterons en choeur.
Des élèves peuvent réciter un poème sur le printemps.
Y a-t-il autre chose à faire avant l'événement ? »

Les élèves font une affiche et l'examinent attentivement.
Éloi demande : « Avons-nous oublié des éléments ? »
Plus les jours passent, plus les élèves sont excités.
Le jour venu, ils soupirent : « À nous de jouer ! »

Tout se passe bien, les élèves sont prêts.
Les gens doivent partager, car il manque de feuillets.
La chorale fait son entrée et les gens font silence.
« Bonjour, dit Éloi. Que la fête du printemps commence ! »

L'histoire

Les élèves ont lu cette histoire en classe pour se préparer à faire l'activité mathématique **Les détectives 3**. Ils ont posé des questions sur un diagramme à bandes et fait des prédictions. Ils ont additionné et soustrait des nombres à 2 chiffres, reconnu une suite croissante et compté par intervalles de 10.

Discutons ensemble

- As-tu déjà planifié un événement comme la Fête du printemps ? À quoi devais-tu penser ? Comment les mathématiques étaient-elles utiles ?
- Aurais-tu fait des choses d'une autre façon que la classe de 2e année ? Si oui, lesquelles ?
- Comment les élèves se sentaient-ils pendant la planification de l'événement ?
- Quelle partie de l'histoire préfères-tu ?

Le coin lecture

Visitez la bibliothèque pour trouver d'autres livres intéressants sur les nombres, la collecte et l'analyse de données et les formes géométriques.

Que ferons-nous ?

Regarde le diagramme.
Écris 3 choses que le diagramme t'apprend.

1. ______________________________

2. ______________________________

3. ______________________________

La classe de 1re année construit un diagramme qui représente ses idées pour la fête du printemps.

Ce diagramme sera-t-il semblable à celui de la classe de 2e année ? Sera-t-il différent ?

Quelles peuvent être les ressemblances entre les 2 diagrammes ?
Quelles peuvent être les différences ?
Montre ton raisonnement avec des dessins, des nombres ou des mots.

Nomme le titre d'un autre diagramme que la classe de 2e année peut construire pour planifier la fête plus facilement.

____

Je compte les convives

Toutes les classes du primaire ont invité leur famille.
Des mamans et des papas viennent à la fête.
Des grands-parents et des amis viennent aussi.

Regarde le tableau des effectifs.
Compte les traits dans chaque classe.
Écris le nombre de convives dans la dernière colonne.

Classe	Pointage	Nombre de convives
Maternelle	𝍸 𝍸 𝍸 𝍸 𝍸	_____ convives
1re année	𝍸 𝍸 𝍸	_____ convives
2e année	𝍸 𝍸 𝍸 𝍸 𝍸 𝍸 𝍸	_____ convives

Combien de convives viendront en tout ? ________
Montre comment tu as résolu le problème.

Montre deux façons de grouper les chaises.

J'ai formé les groupements de cette façon parce que______

____.

J'ai formé les groupements de cette façon parce que ______

____.

Écris un problème de soustraction au sujet des convives et montre comment tu peux le résoudre.

Combien y a-t-il de boîtes de conserve ?

L'école organise une collecte d'aliments.
Les familles apportent 92 boîtes de conserve.
Les élèves empilent les boîtes en pyramides de 10.

Combien de pyramides de 10 boîtes font-ils ? ________

Combien reste-t-il de boîtes de conserve ? ________
Montre ton raisonnement avec des dessins, des nombres ou des mots.

Décris la régularité que tu vois dans la pyramide.

____

Suppose que les élèves ajoutent une rangée à une pyramide.

Combien y a-t-il de boîtes de conserve dans cette rangée ? ______

Combien y a-t-il de boîtes de conserve dans la pyramide ? _______

Suppose que les élèves ajoutent d'autres rangées à une pyramide.

Combien de rangées la pyramide la plus large aura-t-elle ? ______
Montre ton raisonnement avec des dessins, des nombres ou des mots.

Des contenants sous enquête

Quels types d'emballages d'aliments y a-t-il le plus chez toi ?

Des boîtes de conserve ?
des boîtes de carton ? des pots ?
des contenants en plastique ?

Tu vas faire une enquête.
Écris chaque catégorie sur une feuille de papier.

Remplis un tableau des effectifs.

À partir de tes données, construis un diagramme à bandes intitulé « Les emballages d'aliments ».

Parle de tes découvertes à quelqu'un.
Quel emballage y a-t-il le plus ? Quel emballage y a-t-il le moins ? T'attendais-tu à ces résultats ?

Nomme les boutons manquants

Il y a sept boutons dans un sac.

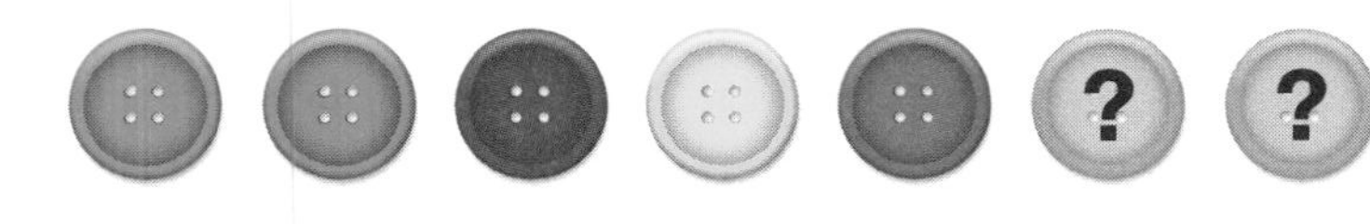

Quelqu'un tire un bouton et le remet dans le sac.
Il y a huit tirages.

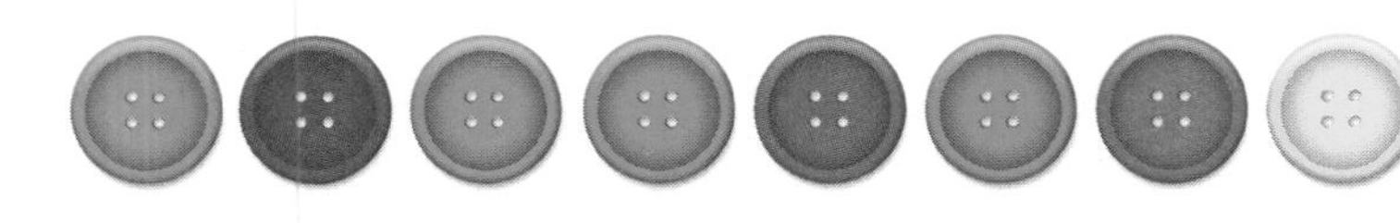

Selon toi, de quelle couleur sont les deux derniers boutons ?

Plier

Les solides mystérieux

Jeu

Mets 5 ou 6 petits solides dans un sac opaque. Tire un solide. Invite une ou un camarade à poser des questions qui ont *oui* ou *non* comme réponse pour deviner ton solide. La limite est de 10 questions.

Si elle ou il devine ton solide, montre-le-lui. Remets le sac à ta ou à ton camarade. À ton tour de deviner !

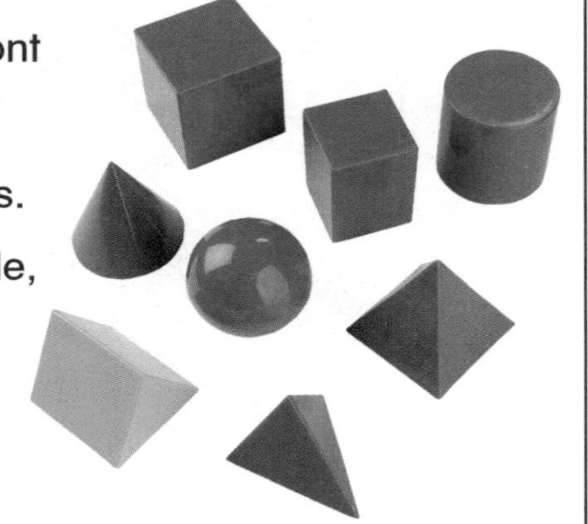

J'additionne des étoiles

Combien y a-t-il d'étoiles en tout ?

Simon dit : « 8 plus 2 égale 10. 4 de plus égale 14. »

Martine dit : « Je sais que 8 plus 8 égale 16. Si j'enlève 2, il reste 14. »

Qui a raison ? Comment le sais-tu ?

Plateau de jeu « Quelle est la différence ? »

10	11	12	13	14	15	16	17	18	19
20	21	22	23	24	25	26	27	28	29
30	31	32	33	34	35	36	37	38	39
40	41	42	43	44	45	46	47	48	49
50	51	52	53	54	55	56	57	58	59
60	61	62	63	64	65	66	67	68	69
70	71	72	73	74	75	76	77	78	79
80	81	82	83	84	85	86	87	88	89
90	91	92	93	94	95	96	97	98	99

Quelle est la différence ?

Tu as besoin :

- d'un plateau de jeu (*page 7*) ;
- de deux ensembles de cartes numérotées de 1 à 9 et d'une carte numérotée 0, dans un sac opaque ;
- de 6 jetons ;
- de papier ;
- d'un crayon.

Les règles du jeu:

- Tire 2 cartes et utilise-les pour former un nombre à 2 chiffres. Place un jeton sur la case du plateau de jeu qui correspond à ton nombre.
- Tire 2 autres cartes et forme un autre nombre à 2 chiffres. Avec un jeton, couvre ce nombre sur le plateau de jeu.
- Trouve la différence entre les 2 nombres. Compte le nombre de dizaines et d'unités entre les deux nombres. Couvre la différence avec un jeton.

Par exemple, pour les nombres **33** et **57**, dis : « 57 se trouve à 2 dizaines et à 4 unités de 33. La différence est 24. »

Si la différence :

- est supérieure à 25, tu obtiens un point.
- correspond à une case avec une ☆, tu obtiens un point.
- correspond à une case avec un ♥, ta ou ton camarade obtient un point.

Compte les points, remets les cartes dans le sac et enlève les jetons du plateau de jeu.

Jouez à tour de rôle. La première personne qui obtient 10 points gagne la partie.

À la foire

Jeu

De combien de façons peux-tu gagner à ce jeu ?

Lancez 2 balles. Obtenez 10 points pour gagner !

L'heure de la collation

Tu veux acheter une pomme.
Tu as cette somme d'argent.

75 ¢

As-tu assez d'argent ?

Sinon, combien te faut-il de plus ?

Au parc

La prochaine fois que tu vas aller au parc, observe les jeux.
Quelles formes vois-tu ?
Vois-tu des régularités ?

Quatre de suite

Jeu

Tu as besoin :
- d'une table d'addition (*page 5*) ;
- de cartes numérotées de 1 à 9 ;
- de deux sortes de jetons (haricots, boutons).

Dépose la table d'addition et les cartes entre les joueuses ou les joueurs. Place les cartes face contre table.

Chaque joueuse ou joueur prend une pile de jetons.

Les règles du jeu :
- Retourne 2 cartes et formule 2 additions avec les nombres.
- Mets un jeton sur la somme de l'une ou l'autre des additions dans la table d'addition.
  Par exemple, si tu as les nombres **8** et **6**, tu peux placer ton jeton sur la somme de 8 + 6 ou de 6 + 8.
- Retourne les cartes. Remets-les dans le paquet.

Jouez à tour de rôle. La première personne qui a une rangée de 4 jetons gagne la partie. Rappelle-toi d'essayer de bloquer ton adversaire !

Quelles régularités vois-tu ?

Table d'addition du jeu « Quatre de suite »

+	0	1	2	3	4	5	6	7	8	9
0	0	1	2	3	4	5	6	7	8	9
1	1	2	3	4	5	6	7	8	9	10
2	2	3	4	5	6	7	8	9	10	11
3	3	4	5	6	7	8	9	10	11	12
4	4	5	6	7	8	9	10	11	12	13
5	5	6	7	8	9	10	11	12	13	14
6	6	7	8	9	10	11	12	13	14	15
7	7	8	9	10	11	12	13	14	15	16
8	8	9	10	11	12	13	14	15	16	17
9	9	10	11	12	13	14	15	16	17	18

Je mesure

OBJECTIF | Les élèves observent l'image et nomment les façons de mesurer.

Nom : ______________________ Date : ______________________

Chers parents, tuteur ou tutrice,

Dans ce module de mathématiques, votre enfant étudiera la mesure. Votre enfant explorera les mesures linéaires, la notion du périmètre et la notion d'aire.

Voici les objectifs d'apprentissage de ce module :

- Estimer, mesurer et comparer des longueurs avec des unités non conventionnelles, comme des trombones, des pailles ou des trains de cubes emboîtables.
- Comprendre pourquoi il est nécessaire de mesurer des longueurs avec des unités conventionnelles comme les centimètres et les mètres.
- Estimer, mesurer et comparer le périmètre (la distance autour) avec des unités non conventionnelles et conventionnelles.
- Explorer la notion d'aire avec des unités non conventionnelles, comme des cartes à jouer, pour couvrir une surface.
- Résoudre des problèmes de la vie courante sur les mesures.

Vous pouvez aider votre enfant à atteindre ces objectifs en faisant à la maison les activités suggérées au bas de certaines pages.

Nom : ______________________ Date : ______________________

Je mesure ma banderole

Dessine ton pupitre. Où vas-tu placer ta banderole ?
Explique ton travail.
Utilise des dessins, des nombres ou des mots.

OBJECTIF | Les élèves dessinent leur pupitre et une banderole. Ils expliquent comment ils ont mesuré leur pupitre avant de dessiner leur décoration.

Nom : ______________________ Date : ______________________

Je mesure de trois façons

Choisis deux objets que tu vas mesurer.

J'ai choisi ____________________ et ____________________.

Mesure chaque objet 3 fois avec :
Fais une estimation chaque fois.
Remplis chaque tableau.

Mon premier objet est ____________________.

Unité de mesure	Mon estimation	La mesure

Mon second objet est ____________________.

Unité de mesure	Mon estimation	La mesure

Compare tes mesures. Que remarques-tu ?

____

____

OBJECTIF | Les élèves estiment et mesurent la longueur de deux objets avec des unités non conventionnelles. Ils comparent leurs résultats.

Nom : ______________________ Date : ______________________

Je mesure et je compare

Choisis quatre livres.
Choisis une unité pour mesurer la hauteur de tes livres.
Encercle l'unité.   

Remplis le tableau.

Le titre du livre	La hauteur

Place les livres sur la tablette par ordre de hauteur.
De quelles autres façons peux-tu ordonner les livres ?

____

____

____

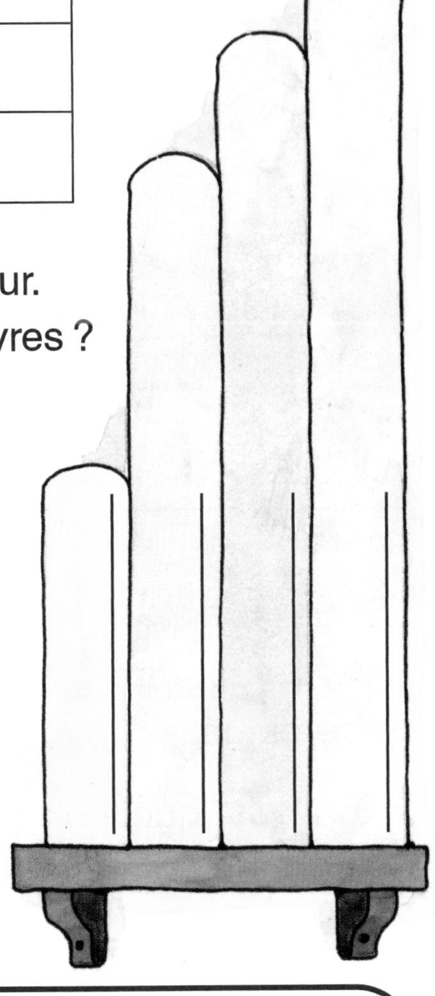

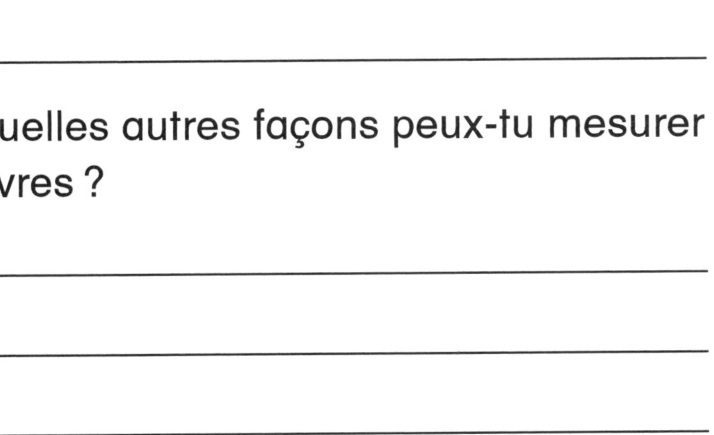

De quelles autres façons peux-tu mesurer les livres ?

____

____

____

À LA MAISON 

À la maison, réunissez des objets que vous et votre enfant pouvez ordonner selon la longueur (vêtements dans le garde-robe, serviettes sur une barre).

OBJECTIF | Les élèves mesurent et comparent la hauteur de quatre livres.

Nom : ______________________ Date : ______________________

De vrais coléoptères

Les images montrent la taille réelle de coléoptères.
Quelle est la longueur de chaque coléoptère, environ ?

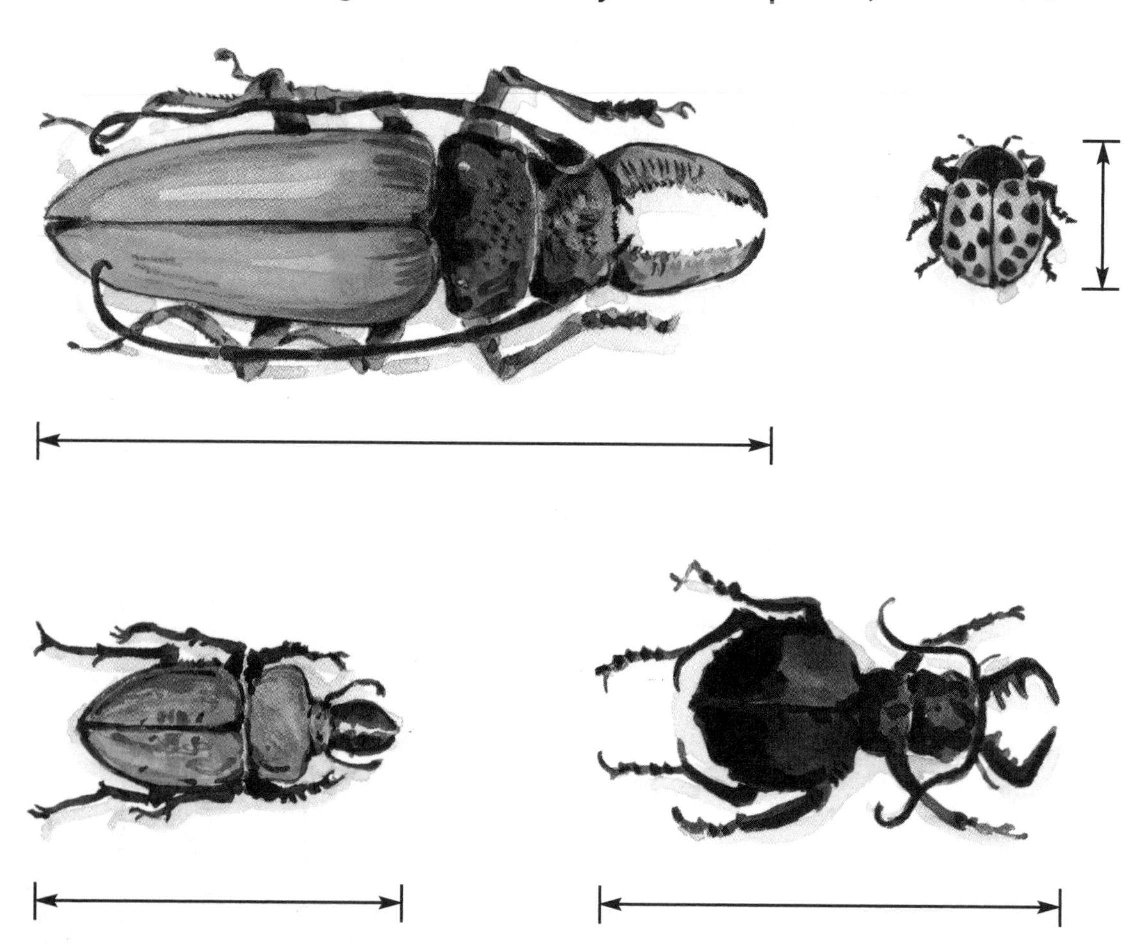

Quel coléoptère est le plus long ?
Encercle-le.

À ton avis, quel coléoptère est le plus large ?
Mesure pour vérifier ta prédiction. Avais-tu raison ?

____

____

OBJECTIF | Les élèves mesurent la longueur de coléoptères avec une règle graduée en centimètres et la comparent.

Nom : ______________________ Date : ______________________

Des objets d'une longueur de 10 cm

Trouve quatre objets qui mesurent environ 10 cm de longueur chacun.

Mesure tes objets et écris leur longueur.

L'objet	La longueur
	________ cm
	________ cm
	________ cm
	________ cm

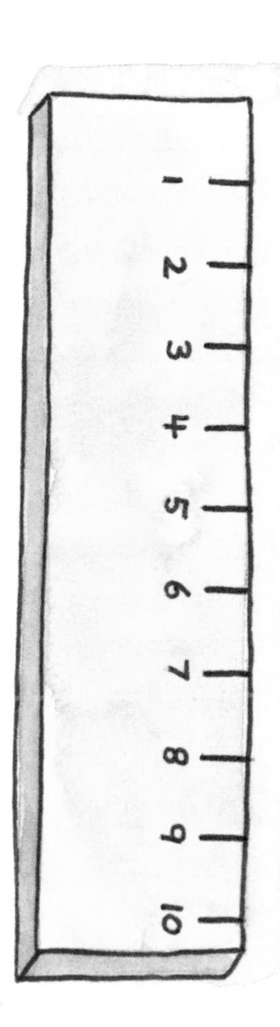

Qu'est-ce qui est utile pour trouver des objets qui mesurent environ 10 cm de longueur ?

____

____

OBJECTIF Les élèves estiment des longueurs et mesurent avec une règle quatre objets d'environ 10 cm chacun.

À LA MAISON 

Avec votre enfant, trouvez trois objets d'environ 10 cm de longueur dans la cuisine. Dites-lui de mesurer les objets avec une règle graduée en centimètres pour vérifier.

Nom : ______________________ Date : ______________________

Quelle est la longueur d'un mètre ?

Choisis trois objets dans la classe.
Cherche :

- un objet qui mesure moins de 1 m de longueur ;
- un objet qui mesure plus de 1 m de longueur ;
- un objet qui mesure environ 1 m de longueur.

Remplis le tableau.
Écris le nom de chaque objet et estime sa longueur.
Mesure l'objet.

	Mon objet	**Mon estimation**	**La mesure**
moins de 1 m			
plus de 1 m			
environ 1 m			

Objectif | Les élèves choisissent des objets qui mesurent moins de 1 m, plus de 1 m et environ 1 m de longueur. Ils estiment la longueur de chaque objet et mesurent pour vérifier.

Nom : ______________________ Date : ______________________

Je choisis une unité de mesure

Quelle unité de mesure choisis-tu pour mesurer ces objets ? Encercle centimètre ou mètre.

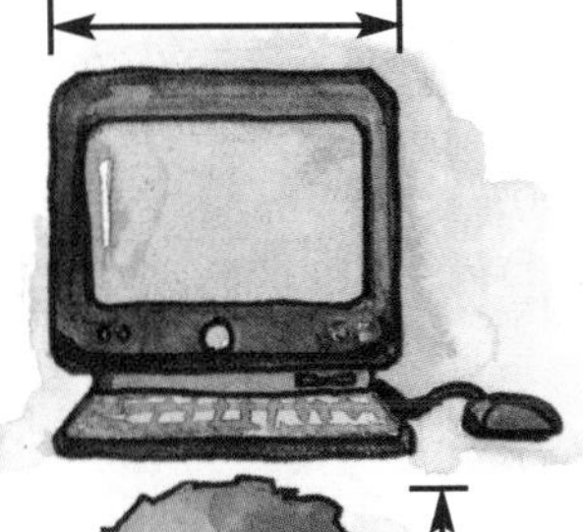

centimètre mètre

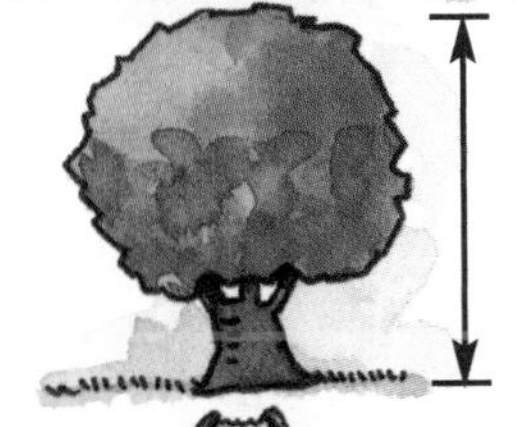

centimètre mètre

centimètre mètre

centimètre mètre

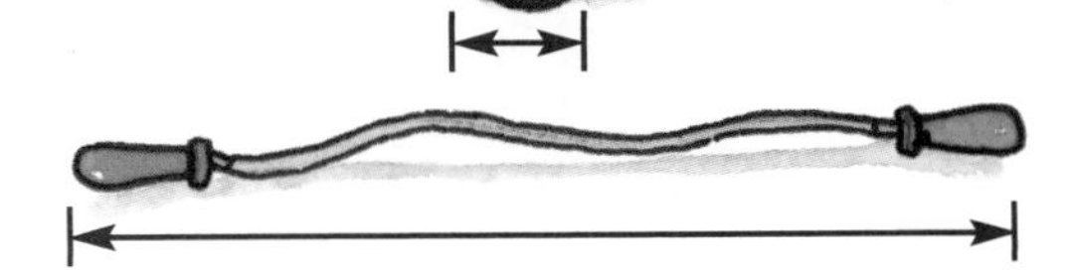

centimètre mètre

Choisis une de tes réponses. Explique ton raisonnement.

____

____

À LA MAISON 

Invitez votre enfant à estimer et à mesurer la taille des membres de votre famille en mètres, en centimètres ou les deux.

OBJECTIF Les élèves choisissent l'unité de mesure la plus appropriée (centimètre ou mètre) pour mesurer chaque objet.

Nom : ______________________ Date : ______________________

La surface d'une affiche

Mesure la largeur des murs de ta classe.

Note chaque mesure dans le tableau.

La surface murale	La largeur
1	
2	
3	

Ordonne les largeurs. Commence par la plus petite largeur. Termine par la plus grande.

__________ __________ __________

OBJECTIF Les élèves ordonnent les murs de leur classe selon leur largeur pour déterminer celui qui peut recevoir une affiche.

À LA MAISON 

Avec votre enfant, trouvez des objets à classer par ordre de longueur (écharpes, ceintures, cravates). Ordonnez les objets pour montrer la comparaison.

Nom : ______________________ Date : ______________________

Je mesure et je construis un diagramme

Trouve 4 objets à mesurer.

livres magazines

chaussures

ton choix

étuis à crayons

Remplis le tableau.

Mes objets	La mesure
	_______ cm
	_______ cm
	_______ cm
	_______ cm

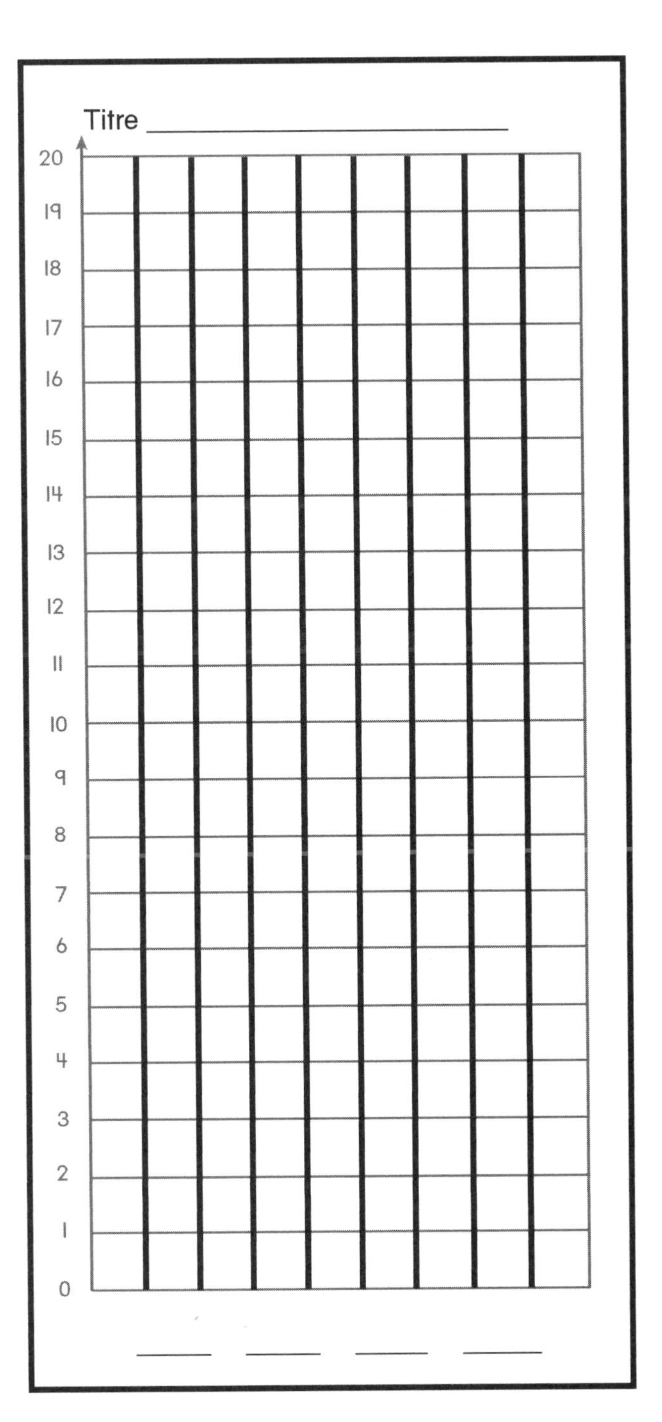

Construis un diagramme pour représenter tes mesures.

Ordonne tes mesures. Commence par la plus petite mesure.
Termine par la plus grande.

__________ __________ __________ __________

OBJECTIF | Les élèves mesurent quatre objets. Ils représentent graphiquement et ordonnent leurs résultats.

Nom : ______________________ Date : ______________________

La distance autour d'une figure

Dessine les figures que tu as mesurées.
Dans chaque figure, écris sa distance autour.

Explique comment tu as trouvé la distance autour de chaque figure.
Utilise des dessins, des nombres ou des mots.

OBJECTIF Les élèves mesurent le périmètre de grandes figures disposées sur le sol de la classe.

À LA MAISON 

Choisissez une photo avec votre enfant. Dites-lui de trouver la distance autour. Ensuite, mesurez et découpez du papier pour fabriquer un cadre décoratif.

Nom : ______________________ Date : ______________________

Des cadres

Trouve la distance autour de chaque image.
Mesure 3 fois.

distance autour = ________ cm

distance autour = ________ cm

distance autour = ________ cm

Quelle image a la plus petite distance autour ? Encercle l'image.

OBJECTIF | Les élèves mesurent la distance autour des images.

Nom : ______________________ Date : ______________________

Je couvre une surface

Tu dois carreler le plancher de la maison de poupée.
Choisis une figure pour couvrir le plancher.
C'est ton unité. Encercle-la.

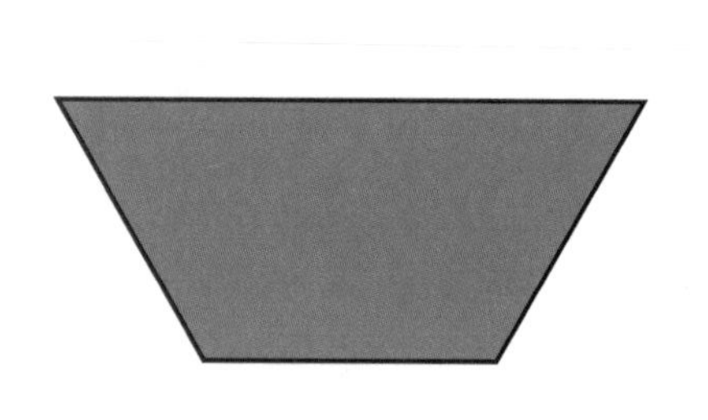

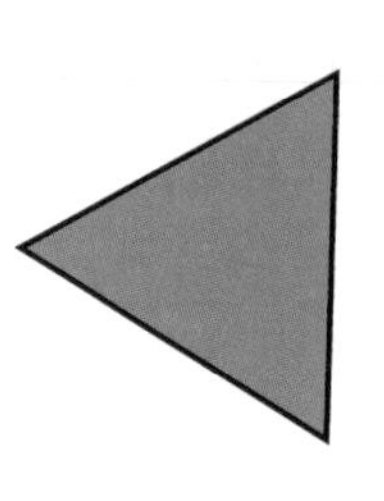
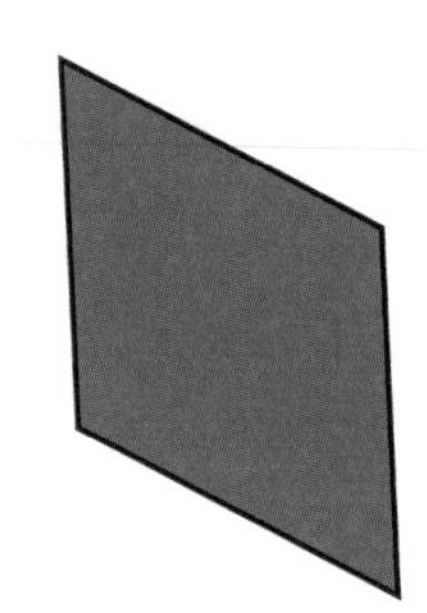

À ton avis, combien d'unités te faut-il ? __________
Couvre le plancher.
Combien d'unités as-tu utilisées ? __________

OBJECTIF | Les élèves choisissent une unité de mesure non conventionnelle pour couvrir une surface rectangulaire. Ils trouvent le nombre d'unités requises.

Nom : ______________________ Date : ______________________

Environ combien en faut-il ?

Environ combien de blocs vont couvrir chaque surface ?

L'objet	Mon estimation	La mesure
le dessus de ton pupitre	environ ______	
le couvercle d'une boîte	environ ______	
mon objet	environ ______	

Suppose que tu mesures les objets avec une autre unité. À ton avis, que va-t-il se passer ?

____

____

OBJECTIF Avec du matériel, les élèves mesurent l'aire de surfaces dans la classe.

À LA MAISON 

Dites à votre enfant de mesurer l'aire du dessus d'une table ou d'un comptoir avec des fiches. Utilisez des mesures pour faire une nappe (ou des napperons) en papier.

Nom : ______________________ Date : ______________________

Combien de façons ?

Fais des groupements avec
5 cubes emboîtables.
Combien peux-tu en faire ?
Montre tous tes groupements.

OBJECTIF | Les élèves font des groupements avec 5 cubes emboîtables et les dessinent sur du papier quadrillé.

Nom : ______________________________ Date : ______________________________

Des figures triangulaires

Fais des groupements avec 5 blocs-formes triangulaires.
Note tes groupements.

Objectif

Les élèves font des groupements avec 5 blocs-formes triangulaires et les dessinent sur du papier quadrillé.

À LA MAISON 

Utilisez un jeu qui comprend des carreaux de lettres. Avec votre enfant, formez le nom de membres de votre famille. Pour chaque nom, comptez les carreaux ; faites des groupements de ce nombre.

Nom : ______________________________ Date : ______________________________

Notre course d'obstacles

Mesure la distance autour de votre course d'obstacles de 2 façons. Montrez la mesure avec des dessins, des nombres ou des mots.

Première façon

Quelle est la distance autour de la course ? ____________________

Deuxième façon

Quelle est la distance autour de la course ? ____________________

Mesure l'aire couverte par la course. Utilise une stratégie de ton choix. Montre ton travail avec des dessins, des nombres ou des mots.

Comment nous avons mesuré la course

Décris la longueur de la course ______________________________

OBJECTIF | Les élèves mesurent le périmètre et l'aire d'une course à obstacles. Ils choisissent leurs propres unités et leurs instruments de mesure.

Nom : ______________________ Date : ______________________

Je crée la course d'obstacles

Estime la longueur totale de la course.

____

Mesure pour vérifier ton estimation. ______________________

Quelle partie mesure plus de 1 m de longueur ? ______________________

Quelle est la longueur de cette partie ? ______________

Quelle partie mesure plus de 5 cm de hauteur ? ______________________

Quelle est la hauteur de cette partie ? ________

Quelle partie mesure plus de 10 cm de largeur ? ______________________

Quelle est la largeur de cette partie ? ________

Quelle est la distance entre le point de départ et le premier obstacle ?

____

Quelle est la partie la plus haute à escalader ? ____________

Quelle est la hauteur de cette partie ? __________

Comment sais-tu que cette partie est la plus haute ? ______________

OBJECTIF | Les élèves créent et mesurent une course d'obstacles.

Nom : ______________________________ Date : ______________________________

Mon journal

Raconte ce que tu as appris sur les mesures linéaires.

____

____

____

____

____

____

Raconte ce que tu as appris sur les façons de couvrir des surfaces.

____

____

____

____

____

____

OBJECTIF | Les élèves expliquent ce qu'ils ont appris sur les mesures linéaires, l'aire et le périmètre.

À LA MAISON 

Demandez à votre enfant : « À ton avis, pourquoi est-il important d'étudier la mesure ? »

Les figures

OBJECTIF | Les élèves discutent de l'image et nomment les figures qu'ils reconnaissent.

Nom : ____________________ Date : ____________________

Chers parents, tuteur ou tutrice,

Dans ce module de mathématiques, votre enfant continuera l'étude des figures et de la symétrie.

Voici les objectifs d'apprentissage de ce module :

- Décrire, classer et comparer des figures selon le nombre de côtés et le nombre de sommets (coins).
- Reconnaître les figures qui sont symétriques ou qui ont des parties identiques.
- Faire des suites à l'aide de matériel concret et de figures.
- Utiliser un vocabulaire de position pour décrire le mouvement et l'emplacement : glisser (faire une translation) vers la gauche, tourner (faire une rotation), en haut, à côté.

Vous pouvez aider votre enfant à atteindre ces objectifs en faisant à la maison les activités suggérées au bas de certaines pages.

Nom : ______________________ Date : ______________________

Mon dessin

Utilise ■ ● ▭ et ▲.

Fais un dessin avec ces figures.

Décris les figures que tu as utilisées.

____

____

OBJECTIF | Les élèves font un dessin avec des figures et décrivent leur travail.

Nom : ______________________ Date : ______________________

Où suis-je ?

Regarde dans ta classe.
Trouve un exemple de chaque figure.
Indique où tu vois chaque figure.

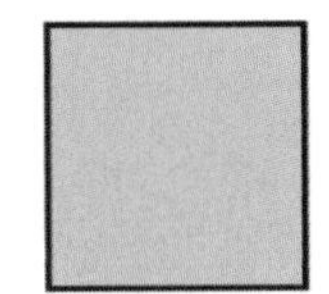  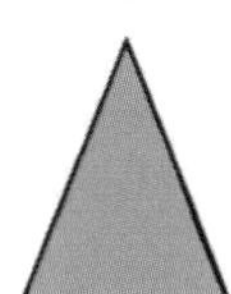 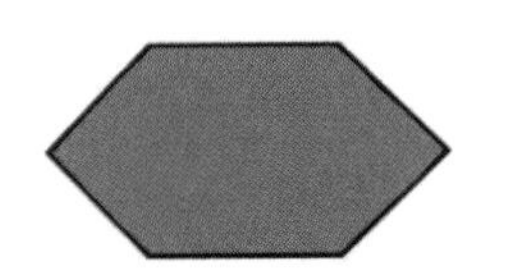 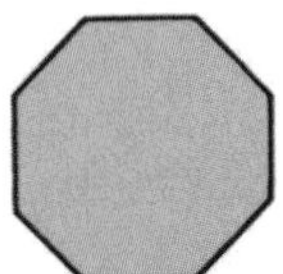 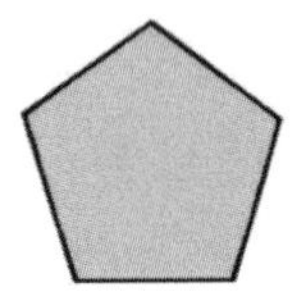 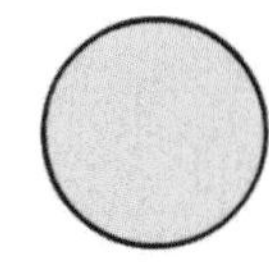

carré rectangle triangle hexagone octogone pentagone cercle

Ce que je vois	Cela ressemble à	Où je le vois
la couverture d'un livre	un rectangle	dans mon pupitre

OBJECTIF | Les élèves cherchent des figures dans la classe et indiquent où elles se trouvent.

Nom : ______________________________ Date : ______________________________

Je cherche des figures !

Colorie une figure à 3 côtés en 

.

Colorie une figure à 4 sommets en 

.

Colorie un pentagone en 

.

Colorie un hexagone en 

.

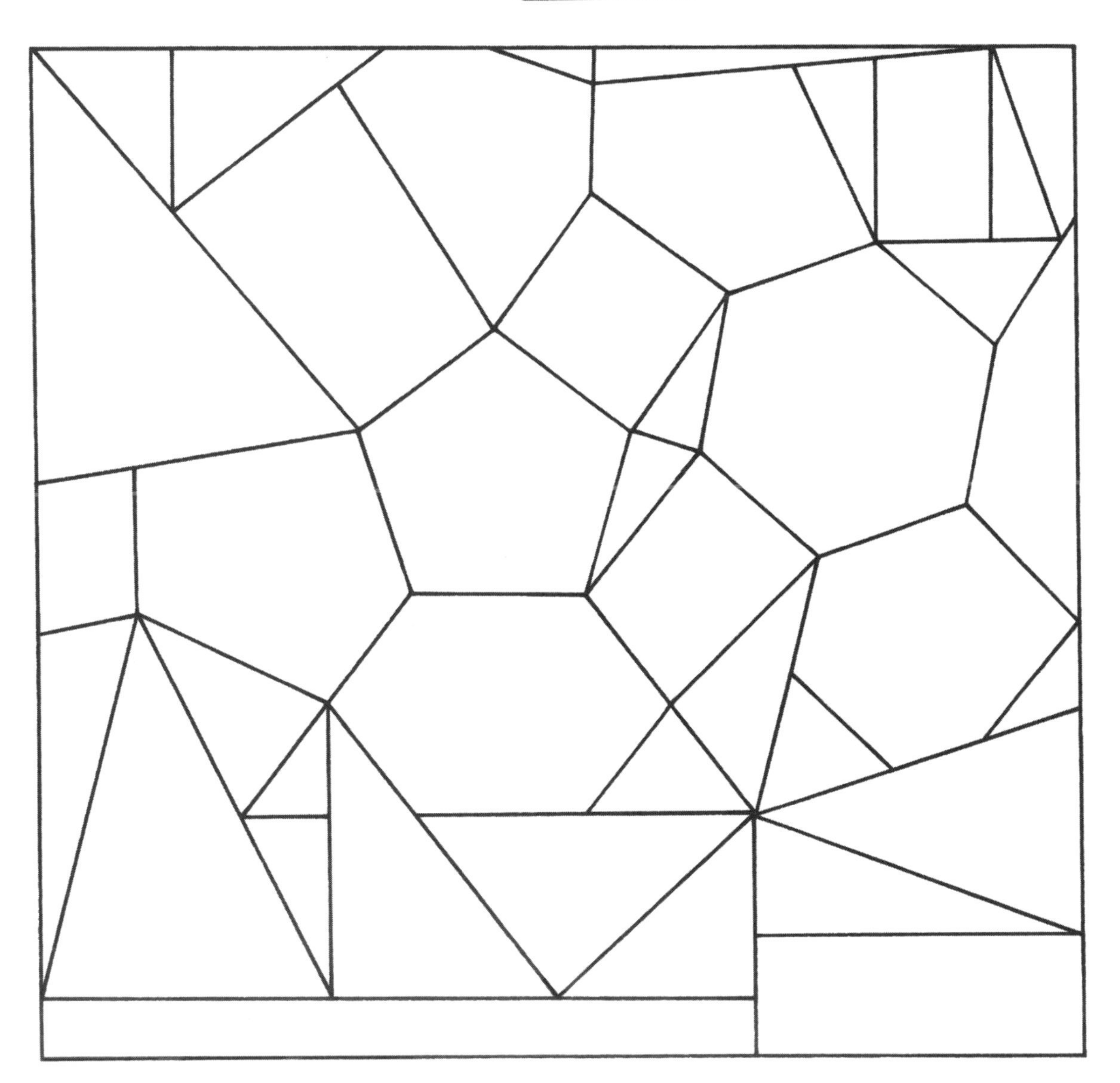

OBJECTIF Les élèves cherchent des figures dans un dessin et les colorient.

À LA MAISON 

À la maison, cherchez avec votre enfant des exemples de figures étudiées en classe, comme le cercle, le triangle, le rectangle, le pentagone, l'hexagone et l'octogone. Quelle figure revient le plus souvent ?

Nom : ______________________________ Date : ______________________________

Je forme une paire de figures

Choisis une figure.
Trouve une ou un camarade qui a une figure identique.

Comment sais-tu que les figures sont identiques ?
Utilise des dessins, des nombres ou des mots.

Objectif

Les élèves tirent une figure d'un ensemble et cherchent une figure identique.
Ils montrent comment ils savent que les figures sont identiques.

À LA MAISON 

Découpez des paires de triangles (mêmes taille et forme). Mêlez-les. Prenez un triangle. Invitez votre enfant à reformer la paire. À la fin, demandez-lui : « Quelles stratégies as-tu utilisées ? »

Nom : ______________________ Date : ______________________

Semblable et différent

Encercle 2 figures.

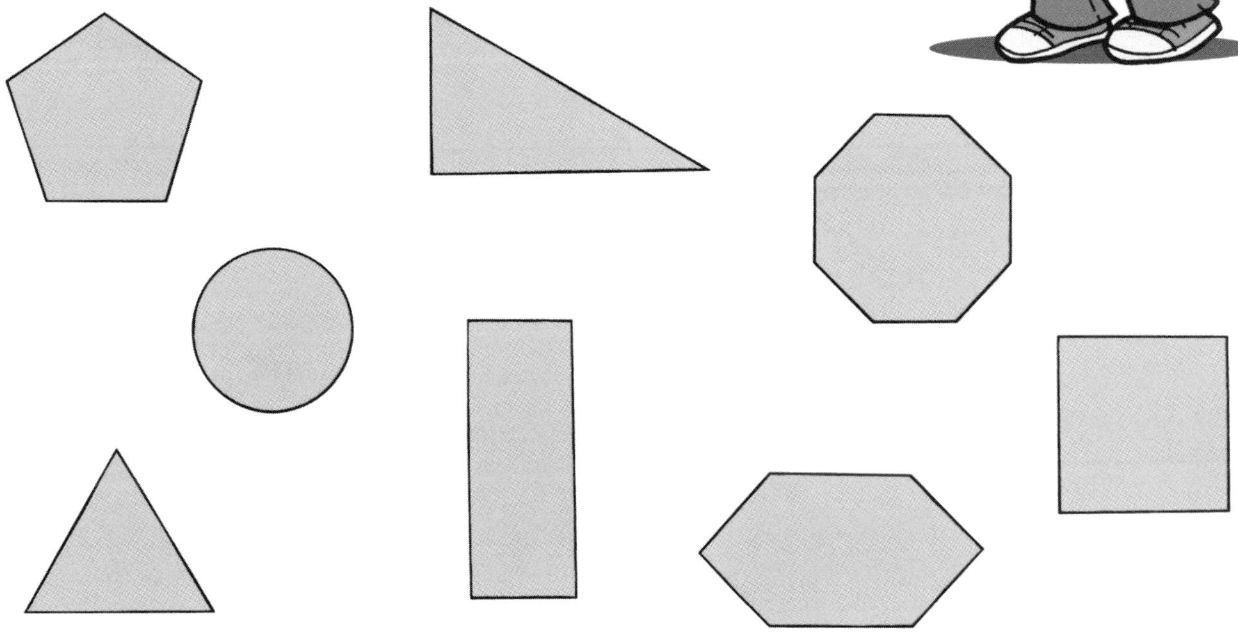

J'ai choisi le ______________ et le ______________.

Voici une ressemblance entre les figures : ______________

____.

Voici une autre ressemblance entre les figures : ______________

____.

Voici une différence entre les figures : ______________

____.

OBJECTIF | Les élèves choisissent 2 figures et décrivent deux ressemblances et une différence.

Nom : ______________________________ Date : ______________________________

Un sac de figures

Il y a 3 figures dans le sac.
Les figures ont 13 côtés en tout.

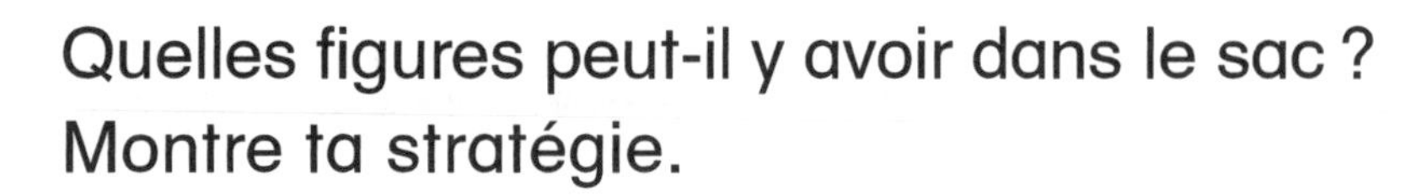

Quelles figures peut-il y avoir dans le sac ?
Montre ta stratégie.

Quelles autres figures peut-il y avoir dans le sac ?

OBJECTIF | Les élèves choisissent une stratégie pour trouver 3 figures qui ont 13 côtés en tout.

Nom : ______________________ Date : ______________________

Un autre sac de figures

Il y a 3 figures dans un sac.
Les figures ont 12 sommets en tout.

Quelles figures peut-il y avoir dans le sac ?
Montre ta stratégie.

Quelles autres figures peut-il y avoir dans le sac ?

À LA MAISON 

À la maison, faites la chasse aux sommets (coins). Trouvez une figure et comptez ses coins. Demandez à votre enfant : « Comment peux-tu trouver une figure qui a le même nombre de coins ? »

OBJECTIF | Les élèves choisissent une stratégie pour trouver 3 figures qui ont 12 sommets en tout.

Nom : ______________________ Date : ______________________

Des parties identiques

Encercle les figures qui ont des parties identiques.
Trace la ligne de pliure.

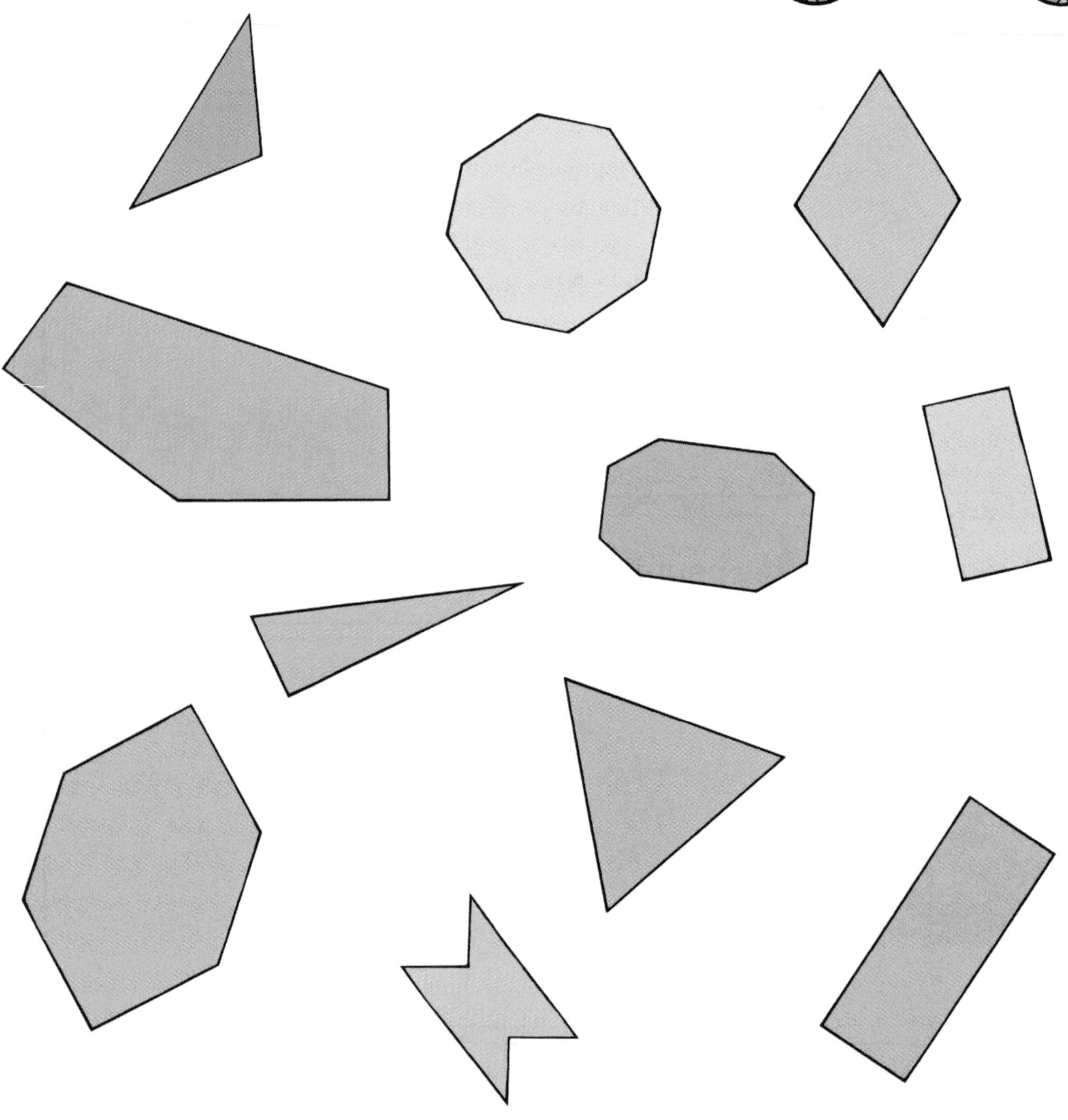

OBJECTIF | Les élèves trouvent les parties identiques de figures découpées dans la *FR-Élève 3 : Des figures.* Ils encerclent les figures de cette page qui correspondent aux figures découpées et tracent des lignes de pliure.

Nom : ______________________ Date : ______________________

Un découpage symétrique

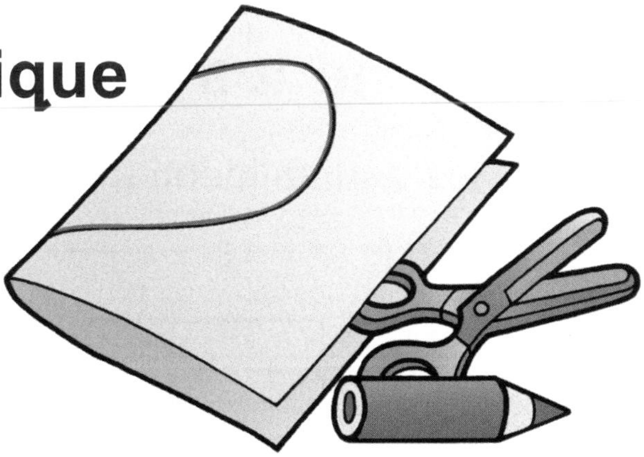

Plie une feuille de papier en deux.
Dessine la moitié d'une figure.
Commence sur la ligne de pliure.
Termine sur la ligne de pliure.

Laisse ta feuille pliée.
Découpe ta figure. Ne découpe pas la ligne de pliure !
Ouvre la feuille. Colle ta figure dans l'encadré.

Qu'as-tu vu quand tu as ouvert la feuille de papier ?

____

OBJECTIF | Les élèves font une figure symétrique. Ils plient une feuille en deux, tracent la moitié d'une figure et la découpent. Ils répondent à une question sur leur travail.

Nom : ______________________ Date : ______________________

Je dessine les parties identiques

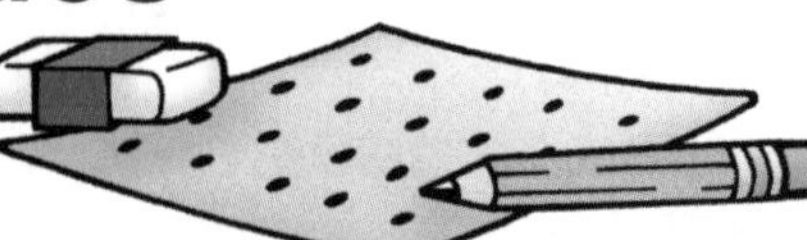

Dessine les parties identiques qui manquent.

À LA MAISON 

Faites de 3 à 6 figures symétriques : pliez une feuille en deux et découpez une figure. Découpez chaque figure sur sa ligne de pliure. Mêlez les pièces, montrez-en une à votre enfant et dites-lui de trouver la pièce identique. Dites-lui d'associer toutes les parties identiques.

OBJECTIF Les élèves dessinent une « image miroir » pour terminer chaque figure symétrique.

Nom : ______________________ Date : ______________________

Voilà la symétrie !

Place un Mira sur le carré.
Cherche des parties identiques.

Utilise un 

.
Trace une ligne à l'endroit où tu places le Mira.

Cherche une autre façon de voir des parties identiques

Utilise un 

.
Trace une ligne à l'endroit où tu places le Mira.

Combien de façons peux-tu trouver ? ______________________

Qu'as-tu découvert ?

OBJECTIF | Les élèves utilisent un Mira pour observer la symétrie de figures.

Nom : ______________________________ Date : ______________________________

La symétrie

Encercle les images qui montrent des parties identiques.
Utilise un Mira pour t'aider.

Objectif | Les élèves utilisent un Mira pour trouver les figures symétriques.

Nom : ______________________ Date : ______________________

La symétrie dans les lettres

Encercle les lettres qui montrent une symétrie.
Vérifie avec un Mira.

O G V C M

P A J B R X

Où peux-tu placer un Mira sur le mot ICI pour montrer une symétrie ?
Utilise un rouge.

Trace une ligne à l'endroit où tu places ton Mira.

ICI

Trouve un autre mot qui montre une symétrie. ______________________
Comment sais-tu qu'il montre une symétrie ?

____

À LA MAISON 

Écrivez le prénom de votre enfant en majuscules. Vérifiez ensemble s'il montre une symétrie. Faites de même avec le nom des autres membres de la famille.

OBJECTIF | Les élèves encerclent les lettres symétriques. Ils utilisent un Mira pour vérifier. Ils explorent des mots qui montrent une symétrie.

Nom : ______________________ Date : ______________________

Les déplacements

Place une figure sur 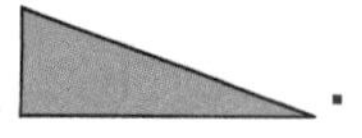.

Déplace la figure pour couvrir 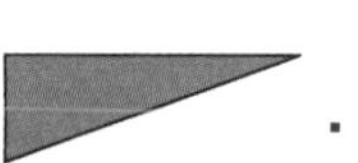.

Décris le déplacement du triangle.

____

Place une figure sur 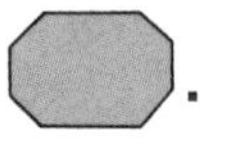.

Déplace la figure pour couvrir .

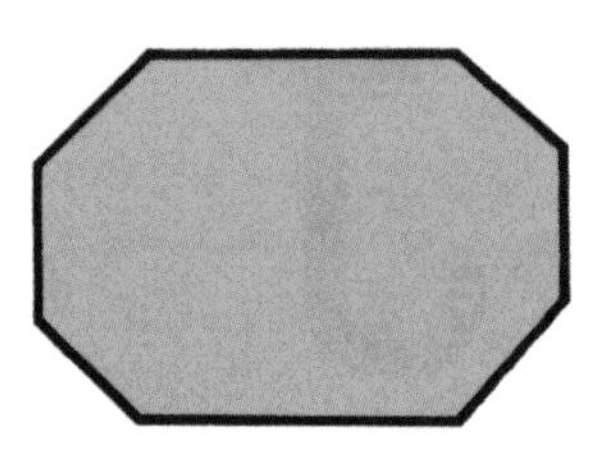

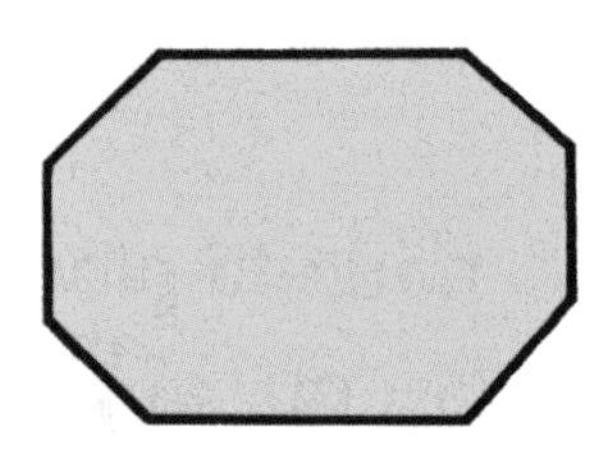

Décris le déplacement de l'octogone.

____

Place une figure sur 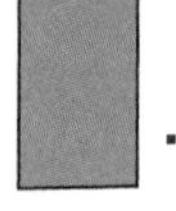.

Déplace la figure pour couvrir 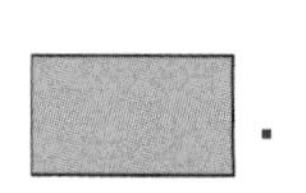.

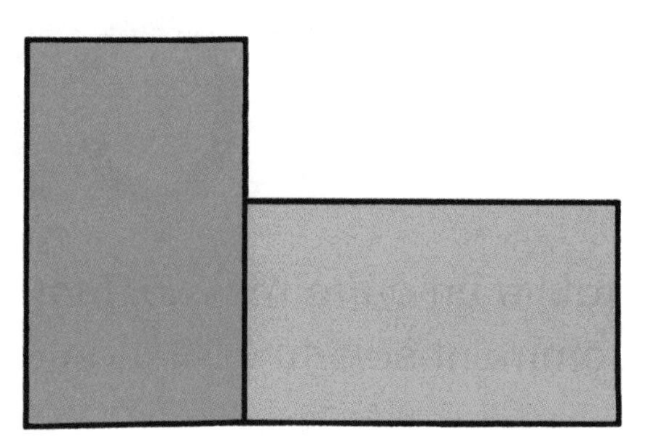

Décris le déplacement du rectangle.

____

OBJECTIF | Les élèves utilisent les figures de la *FR-Élève 3 : Des figures* et les déplacent dans de nouvelles positions. Ils décrivent les déplacements.

Nom : ______________________ Date : ______________________

Un trajet dans une grille de 100

Commence à la case 27.
Montre une façon d'aller à la case 54.

Utilise un  .

Explique ton trajet à ta ou à ton camarade.

1	2	3	4	5	6	7	8	9	10
11	12	13	14	15	16	17	18	19	20
21	22	23	24	25	26	27	28	29	30
31	32	33	34	35	36	37	38	39	40
41	42	43	44	45	46	47	48	49	50
51	52	53	54	55	56	57	58	59	60
61	62	63	64	65	66	67	68	69	70
71	72	73	74	75	76	77	78	79	80
81	82	83	84	85	86	87	88	89	90
91	92	93	94	95	96	97	98	99	100

Montre une autre façon d'atteindre la case 54.

Utilise un 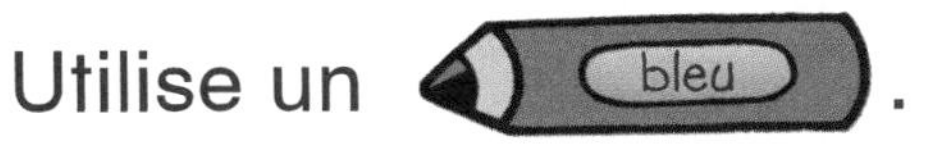 .

Explique ton trajet à ta ou à ton camarade.

OBJECTIF | Les élèves s'exercent à se déplacer d'un nombre à un autre dans une grille de 100. Ils expliquent leurs déplacements.

Nom : ______________________ Date : ______________________

Trouve mon nombre

Choisis un nombre dans la grille de 100.
Garde ton nombre secret.
Écris des consignes pour atteindre ton nombre.

Commence à la case ________.

1. ______________________________
2. ______________________________
3. ______________________________

Invite ta ou ton camarade à trouver le nombre.

Ma ou mon camarade pense que le nombre est ________.

Est-ce ton nombre ? Encercle ta réponse. **oui** **non**

Recommence avec un autre nombre.

Commence à la case ________.

1. ______________________________
2. ______________________________
3. ______________________________

Ma ou mon camarade pense que le nombre est ________.

Est-ce ton nombre ? Encercle ta réponse. **oui** **non**

OBJECTIF | Les élèves choisissent des nombres dans une grille de 100. Ils écrivent des consignes pour que les autres élèves puissent les trouver.

Nom : ______________________________ Date : ______________________________

En route vers la maison

Aide le chien de prairie à retourner chez lui.
Utilise un crayon rouge pour lui montrer le chemin.

Écris des consignes pour aider le chien de prairie.

____

____

____

Objectif | Les élèves tracent un chemin pour aider le chien de prairie à aller dans le tunnel.

À LA MAISON 

Faites un plan de votre domicile. Cachez un objet. Indiquez son emplacement sur le plan. Demandez à votre enfant de trouver l'objet. Inversez les rôles.

Nom : ______________________ Date : ______________________

Une courtepointe

Suis les consignes de la page 233 pour terminer la courtepointe.

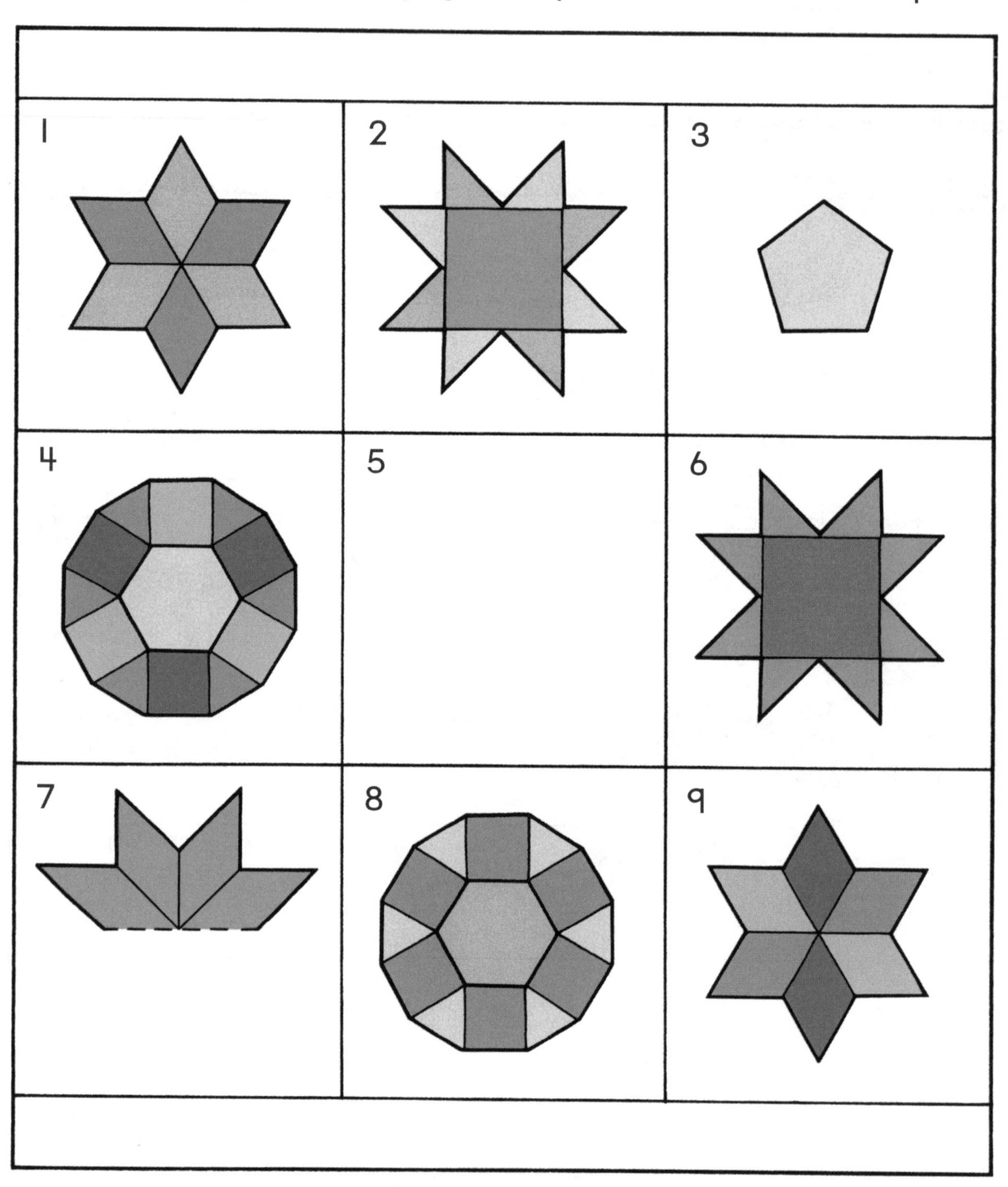

Objectif | Les élèves suivent des consignes pour terminer une courtepointe.

À LA MAISON 

Avec votre enfant, décrivez à tour de rôle les motifs de courtepointe de la page 232. Invitez votre enfant à décrire des motifs géométriques à la maison.

Nom : ______________________ Date : ______________________

Je termine la courtepointe !

Partie 1

Dessine la partie identique du motif 7.

Trouve le motif qui a seulement un pentagone.
Dessine un triangle sur chaque côté du pentagone.

À quoi le motif ressemble-t-il ? ______________________

Combien de sommets a-t-il ? ______________________

Avec des figures, fais ton propre motif dans la case 5.

Décris les figures que tu as utilisées. ______________________

____

____

Partie 2

Dessine un motif répétitif sur la bordure du haut et du bas de la courtepointe. Utilise une seule figure. Tu peux faire une translation, une réflexion ou une rotation.
Nomme 2 cases de la courtepointe qui ont un motif identique.

__________ et __________

Commence à la case 1. Descends de deux cases.
Déplace-toi d'une case vers la droite. Monte d'une case.
Déplace-toi d'une case vers la gauche.

Dans quelle case te trouves-tu ? __________
Nomme les figures que tu vois dans cette case.

____

OBJECTIF | Les élèves suivent des consignes pour terminer une courtepointe et répondent à des questions.

Nom : ___________________________ Date : ___________________________

Mon journal

Raconte ce que tu as appris sur les figures.
Montre ton raisonnement avec des dessins, des nombres ou des mots.

OBJECTIF | Les élèves réfléchissent à ce qu'ils ont appris sur les figures et notent leur raisonnement.

Je multiplie, je divise et j'étudie les fractions

OBJECTIF | Les élèves comptent les objets par intervalles et par groupes.

Nom : ______________________ Date : ______________________

Chers parents, tuteur ou tutrice,

Dans ce module de mathématiques, votre enfant utilisera des suites numériques pour apprendre les concepts de la multiplication, de la division et des fractions avec du matériel.

Voici les objectifs d'apprentissage de ce module :

- Explorer la multiplication, comme le fait de compter des groupes d'objets.
- Comprendre que l'addition répétée, le fait de compter par intervalles et la multiplication sont des concepts semblables.
- Explorer la division par le groupement et le partage d'objets.
- Comprendre la signification de demi, de tiers et de quart.
- Faire des liens entre la multiplication, la division et les fractions, d'une part, et les situations de la vie courante, d'autre part, par la formation de groupes égaux et le partage.

Vous pouvez aider votre enfant à atteindre ces objectifs en faisant à la maison les activités suggérées au bas de certaines pages.

Nom : ______________________ Date : ______________________

Des suites dans une grille de 100

Colorie en [crayon] tous les deux nombres.
Quelle est la régularité de la suite ?

Je compte par ______.

Colorie en [crayon] tous les cinq nombres.
Quelle est la régularité de la suite ?

Je compte par ______.

1	2	3	4	5	6	7	8	9	10
11	12	13	14	15	16	17	18	19	20
21	22	23	24	25	26	27	28	29	30
31	32	33	34	35	36	37	38	39	40
41	42	43	44	45	46	47	48	49	50
51	52	53	54	55	56	57	58	59	60
61	62	63	64	65	66	67	68	69	70
71	72	73	74	75	76	77	78	79	80
81	82	83	84	85	86	87	88	89	90
91	92	93	94	95	96	97	98	99	100

Montre une autre suite par intervalles. Quelle est la régularité ?

____

OBJECTIF | Les élèves comptent par intervalles et colorient des suites dans une grille de 100.

Nom : ______________________ Date : ______________________

Des boutons

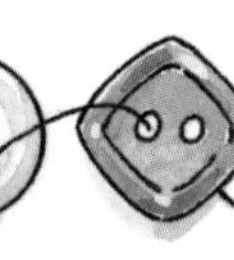
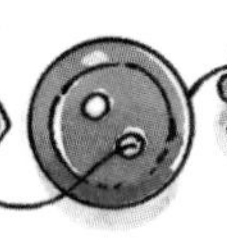

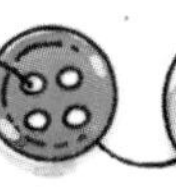
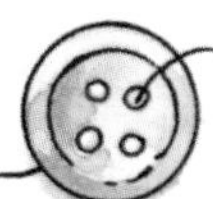

Dessine 4 groupes de 2 boutons.

Écris l'addition.

____

4 groupes de 2 boutons font

______ boutons en tout.

Dessine 3 groupes de 4 boutons.

Écris l'addition.

____

3 groupes de 4 boutons font

______ boutons en tout.

Dessine 5 groupes de 3 boutons.

Écris l'addition.

____

5 groupes de 3 boutons font

______ boutons en tout.

Dessine 3 groupes de 6 boutons.

Écris l'addition.

____

3 groupes de 6 boutons font

______ boutons en tout.

OBJECTIF | Les élèves utilisent l'addition répétée pour compter des groupes de boutons.

À LA MAISON 

Donnez des objets à votre enfant, comme 6 groupes de 5 haricots. Demandez-lui de montrer comment on peut trouver le nombre total de haricots, puis d'écrire l'addition répétée.

Nom : ______________________________ Date : ______________________________

J'invente un problème

Le nombre de groupes : _____

Le nombre d'objets dans chaque groupe : _____

Pense à ton problème. Utilise des jetons.

Fais un dessin pour montrer ta solution.

Écris une addition pour représenter ton problème.

____

Écris une multiplication pour représenter ton problème.

____

OBJECTIF | Les élèves écrivent et résolvent un problème par l'addition répétée et la multiplication.

Nom : ______________________ Date : ______________________

Des multiplications !

Combien d'éléments y a-t-il dans chaque encadré ?

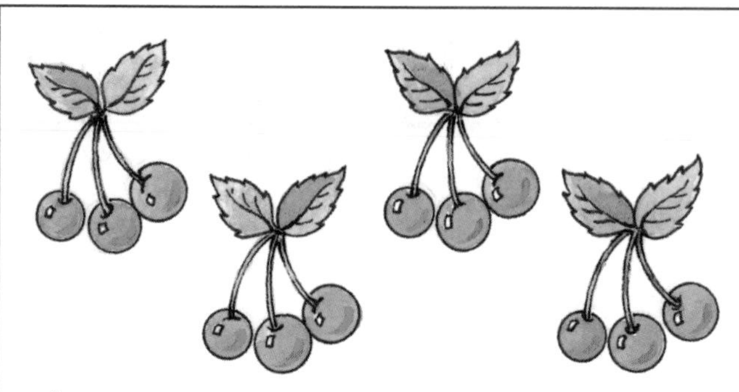

Écris l'addition.

____

Écris une multiplication.

____

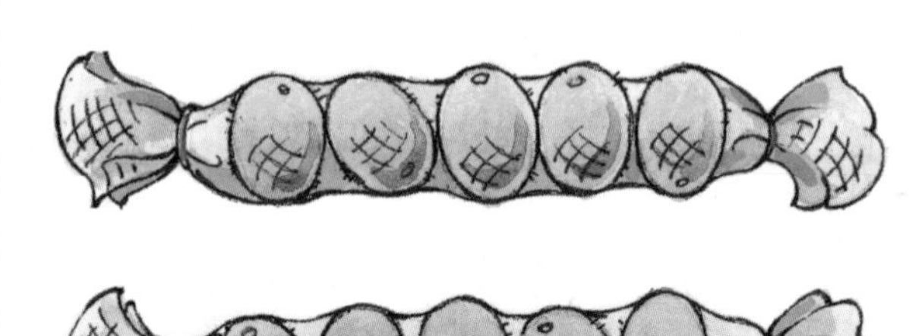

Écris l'addition.

____

Écris une multiplication.

____

Écris l'addition.

____

Écris une multiplication.

____

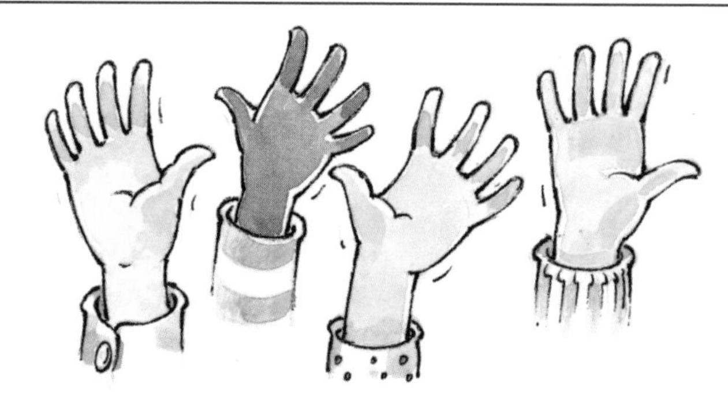

Écris l'addition.

____

Écris une multiplication.

____

OBJECTIF | Les élèves expriment une multiplication de deux façons.

À LA MAISON 

Montrez à votre enfant des objets vendus en paquets, comme des timbres-poste. Dites-lui d'écrire une addition répétée et une multiplication pour trouver le nombre total d'objets.

Nom : ______________________ Date : ______________________

Je partage les jouets

Combien y a-t-il de jouets en tout ? _____

Selon toi, combien de jouets aura chaque personne ? _____

Montre comment tu divises les jouets.

Combien de jouets chaque personne reçoit-elle ? _____

Écris une phrase pour montrer comment tu partages les jouets.

____

OBJECTIF | Les élèves utilisent du matériel pour montrer comment ils peuvent diviser les jouets en 4 groupes égaux.

Nom : ______________________ Date : ______________________

Des parts égales

Quatre élèves veulent se partager des pommes en parts égales pour les apporter à la maison. Combien de pommes chaque élève peut-il avoir ?

Écris une phrase au sujet de ta réponse. ______________________

____

Six élèves veulent se partager ces crayons en parts égales. Combien de crayons chaque élève peut-il prendre ?

Écris une phrase au sujet de ta réponse. ______________________

____

OBJECTIF Les élèves divisent des objets en groupes égaux (partager) et notent leurs résultats.

À LA MAISON 
Dites à votre enfant de répartir des fruits en parts égales entre des camarades ou des membres de la famille.

Nom : ______________________ Date : ______________________

Des bouquets de fleurs

Tu assembles des bouquets de fleurs.
Tu as 36 fleurs.

Tu places 6 fleurs dans chaque bouquet.
Combien de bouquets peux-tu faire ?
Écris une phrase au sujet de ta réponse.

____

Suppose que tu places 4 fleurs dans chaque bouquet.
Combien de bouquets peux-tu faire ?
Écris une phrase au sujet de ta réponse.

____

OBJECTIF | Les élèves divisent 36 fleurs en groupes de 6 et en groupes de 4.

À LA MAISON 

Dites à votre enfant de classer des objets en groupes de 4. Demandez-lui combien il y a de groupes.

Nom : ______________________ Date : ______________________

Les parties d'un tout

Nomme les parties de chaque figure : des demis, des tiers ou des quarts.

Voici des ___________. Il y a _____ parties égales.

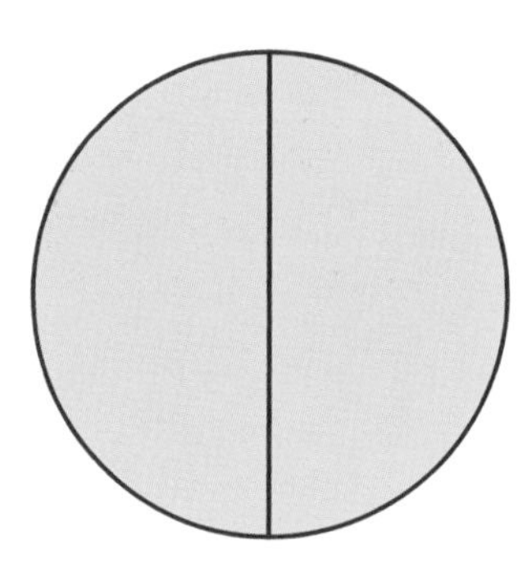

Voici des ___________. Il y a _____ parties égales.

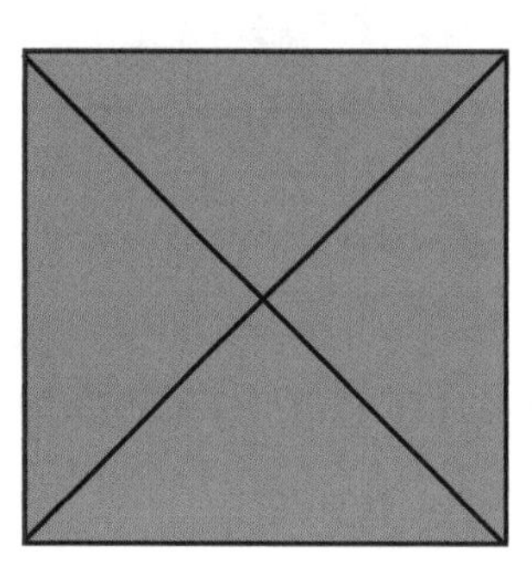

Voici des ___________. Il y a _____ parties égales.

OBJECTIF | Les élèves décrivent des parties fractionnaires.

À LA MAISON 

Laissez votre enfant jouer avec les fractions à table. Montrez-lui un sandwich coupé en demis, une poire coupée en quarts, etc. Demandez-lui de nommer la fraction.

Nom : ______________________ Date : ______________________

Je colorie des fractions

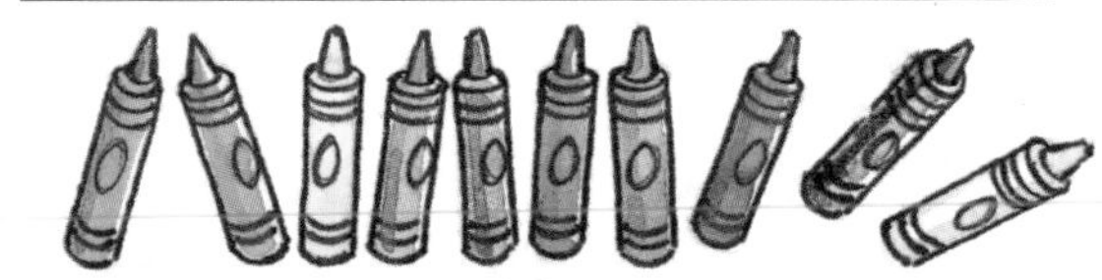

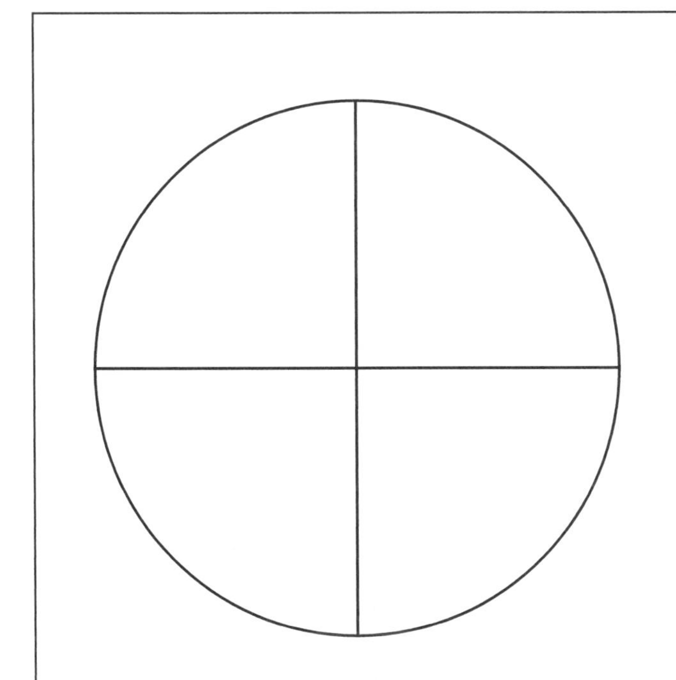 Colorie un quart.	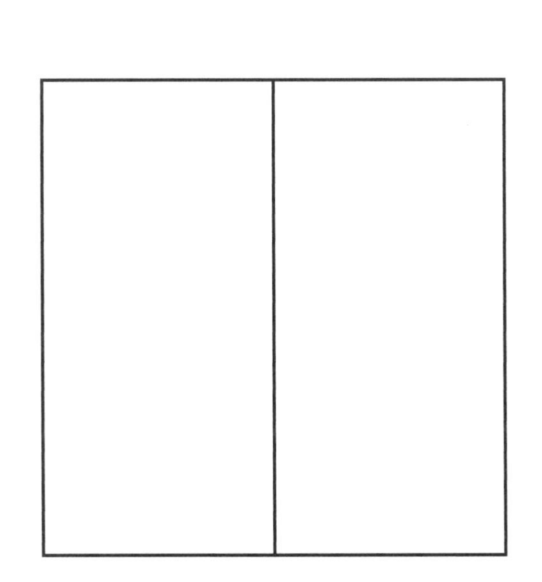 Colorie un demi.
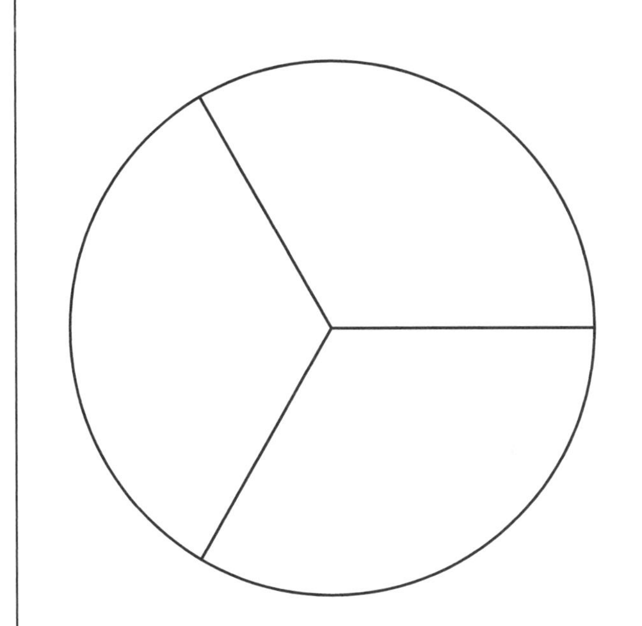 Colorie deux tiers.	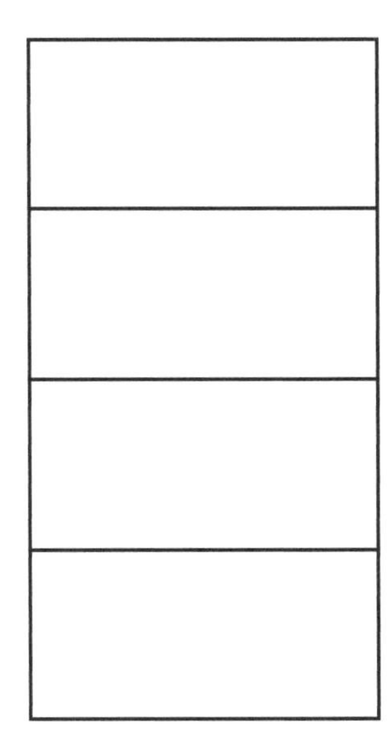 Colorie trois quarts.

OBJECTIF | Les élèves colorient des parties fractionnaires d'un tout.

Nom : ______________________ Date : ______________________

Des jouets minuscules

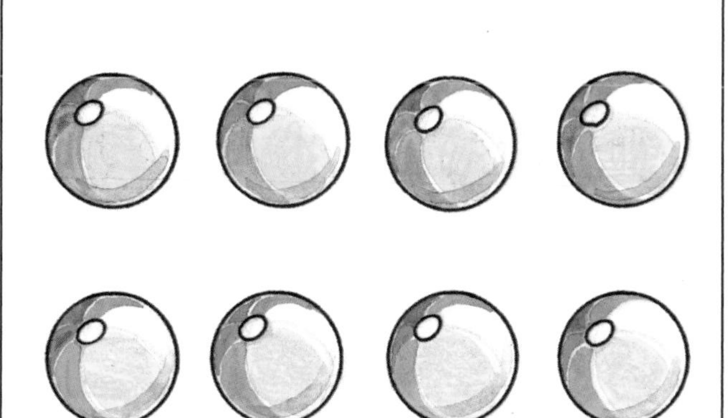 Montre 2 groupes égaux. Combien de balles y a-t-il dans chaque demi ? ________	 Montre 3 groupes égaux. Combien de poupées y a-t-il dans chaque tiers ? ________
  Montre 2 groupes égaux. Combien de canards y a-t-il dans chaque demi ? ________	 Montre 4 groupes égaux. Combien de voitures y a-t-il dans chaque quart ? ________

À LA MAISON 

Trouvez des objets vendus en paquets, comme des petits pains. Demandez à votre enfant combien de pains il y a dans la moitié du sac.

OBJECTIF | Les élèves déterminent les fractions d'un ensemble.

Nom : ______________________ Date : ______________________

Des autos tamponneuses

13 enfants attendent pour monter dans les autos tamponneuses.
Il y a 4 autos tamponneuses.
Chaque auto peut accueillir 3 enfants.
Est-ce que tout le monde peut faire un tour en même temps ?

Montre comment tu résous le problème.
Utilise des dessins, des nombres ou des mots.

Objectif | Les élèves utilisent la stratégie « Mime le problème » et notent ensuite leur travail.

Nom : ______________________ Date : ______________________

En avion

22 personnes en tout doivent monter à bord de cet avion.
Il y a 6 rangées de sièges. Il y a 4 sièges dans chaque rangée.
Est-ce que tout le monde peut monter à bord de l'avion ?

Montre ton raisonnement avec des dessins, des nombres ou des mots.

À LA MAISON 

Invitez votre enfant à vous expliquer sa solution au problème de cette page. Demandez-lui d'inventer un problème semblable à votre intention. Représentez les gens qui veulent monter à bord de l'avion avec des pièces de 1 ¢.

OBJECTIF Les élèves résolvent un problème sur les concepts de la division.

Nom : ______________________________ Date : ______________________________

Un problème de carrousel

Regarde l'image.

Invente un problème sur les groupes égaux. Montre ton problème et ta solution.

Nombre de groupes : __ Nombre d'éléments dans chaque groupe : ___

Nombre d'éléments en tout : _____

Écris un énoncé mathématique sur ton problème. ______________

OBJECTIF | Les élèves inventent et résolvent un problème de groupes égaux.

À LA MAISON 

Invitez votre enfant à vous présenter son problème et sa solution. Demandez-lui : « Peux-tu écrire le problème d'une autre façon ? »

Nom : ______________________ Date : ______________________

Des groupes égaux de chevaux

Tu dois diviser 24 chevaux en groupes égaux.
Utilise des cure-dents pour montrer des groupes égaux.
Colle les cure-dents sur une feuille de papier.

Montre ta solution avec des dessins, des nombres ou des mots.

OBJECTIF | Les élèves divisent 24 chevaux en groupes égaux.

Nom : ______________________________ Date : ______________________________

Après la balade

Il y a 24 chevaux.
Un tiers des chevaux ont une nouvelle selle.
Utilise des jetons pour trouver la réponse.

Combien de chevaux ont une nouvelle selle ?

Il y a 24 chevaux.
Il y a quatre chevaux dans chaque remorque qui va à l'exposition.
Utilise des jetons pour trouver la réponse.

Combien faut-il de remorques pour transporter les chevaux ?

Quatre chevaux vont manger des parts égales de foin.
Plie une feuille pour montrer comment diviser le foin.

Quelle fraction de foin chaque cheval mange-t-il ? _____

OBJECTIF | Les élèves effectuent des problèmes de divisions et des problèmes de fractions.

Nom : ______________________ Date : ______________________

Mon journal

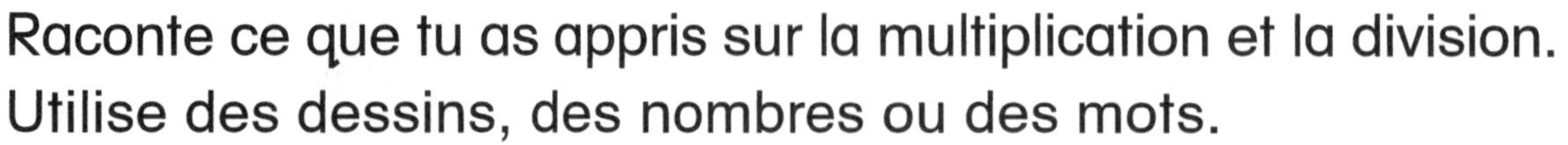

Raconte ce que tu as appris sur la multiplication et la division.
Utilise des dessins, des nombres ou des mots.

Raconte ce que tu as appris sur les fractions.
Utilise des dessins, des nombres ou des mots.

OBJECTIF | Les élèves réfléchissent à ce qu'ils ont appris sur la multiplication, la division et les fractions et notent leur raisonnement.

La masse et la capacité

OBJECTIF | Les élèves découvrent la façon dont les gens mesurent et comparent des articles à l'épicerie, puis ils déterminent les attributs qui peuvent être mesurés.

Nom : ______________________ Date : ______________________

Chers parents, tuteur ou tutrice,

Dans ce module de mathématiques, votre enfant continuera l'étude de la mesure. Votre enfant explorera la *capacité*, soit la quantité de matière qu'un récipient peut contenir, et la *masse*, soit la quantité de matière qui constitue un objet.

Voici les objectifs d'apprentissage de ce module :

- Estimer, comparer, mesurer et ordonner la capacité de contenants en les remplissant de matériel pour voir la quantité qu'ils peuvent contenir.
- Estimer, comparer, mesurer et ordonner la masse d'objets à l'aide de balances simples et d'unités non conventionnelles.
- Résoudre des problèmes de la vie courante sur la masse et la capacité.

Vous pouvez aider votre enfant à atteindre ces objectifs en faisant à la maison les activités suggérées au bas de certaines pages.

Nom : ____________________ Date : ____________________

Je mesure

Montre des choses que tu mesures.
Utilise des dessins, des nombres
ou des mots.

La capacité

À la maison	À l'école

La masse

À la maison	À l'école

OBJECTIF | Les élèves font un remue-méninges sur les occasions de mesurer la capacité et la masse à la maison et à l'école. Ils montrent des choses qu'ils mesurent.

Nom : ______________________ Date : ______________________

Je compare des capacités

Prédis le contenant qui a la plus grande capacité.

____

Prédis le contenant qui a la plus petite capacité.

____

Dessine ou nomme chaque contenant.
Compte les pelletées qu'il faut pour remplir chaque contenant.
Écris le nombre.

Contenant A	Contenant B	Contenant C	Contenant D
______	______	______	______

Quel contenant a la plus grande capacité ?

____

Quel contenant a la plus petite capacité ?

____

Ordonne les contenants. Commence par celui qui a la plus grande capacité. Termine par celui qui a la plus petite capacité.

__________ __________ __________ __________

OBJECTIF | Les élèves mesurent et comparent la capacité de quatre contenants.

Nom : ______________________ Date : ______________________

Je mesure et je construis un diagramme

Dessine ou nomme chaque contenant dans le tableau. Compte les pelletées qu'il faut pour remplir chaque contenant. Note chaque pelletée avec un trait.

Le contenant	Le pointage	Le nombre de

Représente le nombre de pelletées de chaque contenant dans un diagramme.

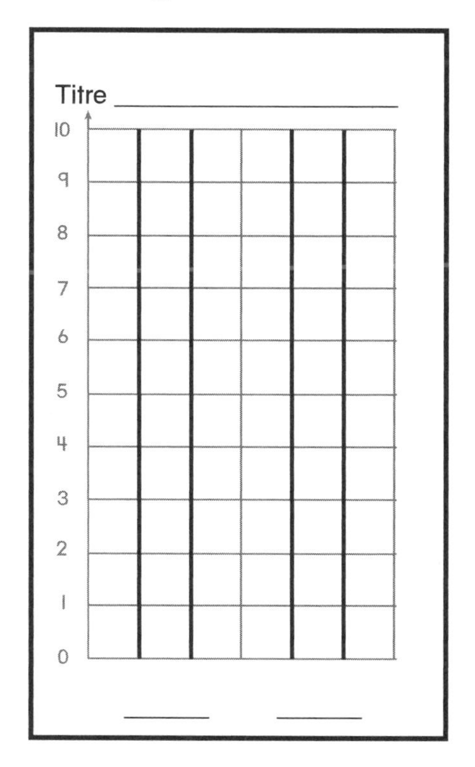

Qu'est-ce que le diagramme t'apprend ?

____

OBJECTIF Les élèves mesurent la capacité de deux contenants, construisent un diagramme et comparent les capacités.

À LA MAISON 

Réunissez quelques contenants de cuisine. Dites à votre enfant d'en comparer deux ou plus à la fois. À l'évier, versez de l'eau d'un contenant à l'autre pour trouver celui qui a la plus grande capacité.

Nom : ______________________________ Date : ______________________________

J'estime le nombre de pelletées

Ma pelle ressemble à ________________________.

J'estime que mon contenant contient environ ________ pelletées.

Remplis ton contenant à moitié. Combien de pelletées y a-t-il ? _______

Change ton estimation si tu le désires. ________________________

Remplis ton contenant. Combien de pelletées contient-il ? __________

Vérifie le travail d'une autre équipe.

Leur pelle ressemble à ________________________.

Ils ont utilisé ________ pelletées.

Qu'as-tu découvert sur l'estimation de la capacité ?
Utilise des dessins, des nombres ou des mots.

OBJECTIF | Les élèves estiment le nombre de pelletées de matériel qu'il faut pour remplir un contenant et vérifient leur estimation. Ils comparent ensuite leurs résultats avec ceux d'une autre équipe.

Nom : ______________________ Date : ______________________

J'ordonne selon la capacité

Dessine ou nomme chaque contenant dans le tableau.
Prédis le contenant qui a la plus petite capacité.

____.

Prédis le contenant qui a la plus grande capacité.

____.

Mesure la capacité de chaque contenant.
Note chaque pelletée avec un trait.

Le contenant	Le pointage	Le nombre de

Ordonne les contenants. Commence par celui qui a la plus petite capacité. Termine par celui qui a la plus grande capacité.

______________ ______________ ______________

À LA MAISON 

Confiez des tâches à votre enfant, comme faire du jus. Demandez-lui : « Combien ajoutes-tu de boîtes d'eau ? Notre cruche est-elle assez grande ? Le jus montera-t-il jusqu'au bord ? »

OBJECTIF Les élèves estiment la capacité de contenants et la mesurent avec une pelle. Ils ordonnent les contenants de la plus petite capacité à la plus grande de capacité.

Nom : ______________________________ Date : ______________________________

Des parts égales pour boire

Estime le nombre d'unités d'eau pour remplir chaque verre. ________

Dessine les verres que tu utilises pour mimer le problème.

____ unités	____ unités	____ unités	____ unités	____ unités

Partage l'eau dans les 5 verres.
Note le niveau de l'eau dans chaque verre.
Note le nombre d'unités dans chaque verre.

Explique comment tu as résolu le problème.
Utilise des dessins, des nombres ou des mots.

OBJECTIF | Les élèves travaillent avec du matériel : ils partagent de l'eau également dans 5 verres. Ils montrent le niveau de l'eau dans chaque verre après le partage. Ils expliquent ce qu'ils ont fait.

Nom : ______________________ Date : ______________________

Des parts égales pour la collation

À ton avis, combien d'unités y aura-t-il dans chaque bol ? __________

Dessine les bols que tu utilises pour mimer le problème.

_____ unités	_____ unités	_____ unités	_____ unités	_____ unités

Partage le maïs soufflé dans les 5 bols.
Note le niveau de maïs dans chaque bol.
Note le nombre d'unités qu'il y a dans chaque bol.

Explique comment tu as résolu le problème.
Utilise des dessins, des nombres ou des mots.

OBJECTIF Les élèves partagent également du maïs soufflé dans 5 bols. Ils expliquent comment ils ont résolu le problème.

À LA MAISON 

Avec votre enfant, divisez équitablement des collations dans plusieurs contenants. Dites-lui d'indiquer le niveau dans chaque contenant après le partage.

Nom : ______________________ Date : ______________________

Je compare des masses

Prédis l'objet qui est le plus léger.
Prédis l'objet qui est le plus lourd.

Utilise tes prédictions. Ordonne les objets. Commence par le plus léger. Termine par le plus lourd. Dessine ou nomme chaque objet dans l'ordre.

L'objet le plus léger			L'objet le plus lourd

Compare la masse des objets avec une balance.
Aligne les objets sur ton pupitre. Commence par le plus léger.
Termine par le plus lourd.
Nomme les objets. Commence par le plus léger.
Termine par le plus lourd.

__________ __________ __________ __________

Comment la balance est-elle utile ?
Utilise des dessins, des nombres ou des mots.

OBJECTIF | Les élèves ordonnent des objets selon leur masse avec leurs mains, puis avec une balance.

Nom : ______________________ Date : ______________________

Les objets de la classe

Choisis 4 objets de la classe.
Prédis l'objet qui est le plus léger et celui qui est le plus lourd.

Dessine ou nomme chaque objet.

L'objet le plus léger			L'objet le plus lourd

Compare la masse des objets avec une balance.
Nomme les objets. Commence par le plus léger.
Termine par le plus lourd.

__________ __________ __________ __________

Trouve un autre objet à comparer.
Selon toi, cet objet est-il le plus lourd, le plus léger ou entre les deux ?

____

Vérifie ta prédiction avec une balance.
Nomme les 5 objets. Commence par le plus lourd.
Termine par le plus léger.

__________ __________ __________ __________ __________

OBJECTIF

Les élèves ordonnent des objets de la classe selon leur masse avec une balance.

À LA MAISON 

Invitez votre enfant à trouver des objets plus légers, plus lourds ou de même masse qu'un autre objet. Vérifiez avec une balance à cintre. (Nouez un sac de plastique aux deux bouts d'un cintre ; suspendez le cintre sur un doigt.)

Nom : ______________________ Date : ______________________

En équilibre

Dessine ou nomme chaque objet
que tu mesures.
Estime la masse de chaque objet.
Écris chaque estimation dans le tableau.

Mon objet	Mon estimation de la masse	La mesure
L'objet le plus léger		
L'objet le plus lourd		

Mesure la masse de chaque objet. Écris-la dans le tableau.

OBJECTIF | Les élèves comparent et mesurent les masses d'objets de la classe.

Nom : ______________________________ Date : ______________________________

Environ combien ?

Estime la masse de 2 objets.
Utilise 3 unités de mesure.

	Objet 1	Objet 2
Mon estimation avec l'unité 1		
Mon estimation avec l'unité 2		
Mon estimation avec l'unité 3		

Utilise une balance.

Mesure la masse des 2 objets.
Utilise 3 unités de mesure.

	Objet 1	Objet 2
Ma mesure avec l'unité 1		
Ma mesure avec l'unité 2		
Ma mesure avec l'unité 3		

Compare tes réponses avec celles d'une ou d'un camarade.

Vos réponses sont-elles différentes ?
Pourquoi, selon toi ?

____

OBJECTIF Les élèves estiment et mesurent la masse d'objets avec 3 unités de mesure non conventionnelles.

À LA MAISON 

Invitez votre enfant à estimer des masses. Par exemple, demandez-lui : « Combien de citrons ont environ la masse d'un pamplemousse ? Combien de raisins ont environ la masse d'une orange ? »

Nom : ______________________ Date : ______________________

Le défilé des pots de fleurs

Estime la capacité des pots dans l'ordre.
Commence par celui qui a la plus petite capacité.
Termine par celui qui a la plus grande capacité.

_______ _______ _______ _______ _______

Dessine ou nomme chaque pot de fleurs dans l'ordre.

Mesure la capacité de chaque contenant.
Note la capacité de chaque pot à côté de son nom ou de son dessin.

Quel contenant a la plus grande capacité ?
Comment le sais-tu ?

____

____

OBJECTIF | Les élèves estiment la capacité de contenants et expliquent comment résoudre un problème de capacité.

Nom : ______________________ Date : ______________________

La plus grande masse

Estime la masse des objets dans l'ordre.
Commence par le plus léger.
Termine par le plus lourd.

______ ______ ______ ______ ______

Dessine ou nomme chaque objet dans l'ordre.

Mesure la masse de chaque objet.
Note la masse de chaque objet à côté de son nom ou de son dessin.

Quel objet est le plus lourd ?
Comment le sais-tu ?

____

____

OBJECTIF | Les élèves estiment et mesurent la masse de 5 objets pour trouver l'objet le plus lourd.

Nom : ______________________ Date : ______________________

Mon journal

Raconte ce que tu as appris sur la comparaison des capacités de contenants.

Montre ton raisonnement avec des dessins, des nombres ou des mots.

Raconte ce que tu as appris sur la comparaison des masses d'objets.

Montre ton raisonnement avec des dessins, des nombres ou des mots.

OBJECTIF Les élèves réfléchissent à ce qu'ils ont appris sur la masse et la capacité et notent leur raisonnement.

À LA MAISON 

Invitez votre enfant à s'exercer à mesurer la capacité et la masse à l'épicerie ou en faisant des recettes simples.

La sortie éducative

Les élèves de 2e année sont emballés.
Même grand-maman est invitée.
C'est jour de sortie aujourd'hui.
Tout le monde va visiter l'aquarium. Youpi !

À l'intérieur, les élèves sont silencieux,
il y a beaucoup de vitres et de bassins autour d'eux.
Il y a des poissons d'ici et d'ailleurs
d'une multitude de tailles et de couleurs.

Une baleine nage vers les élèves amusés.
« Bienvenue ! » semble-t-elle dire avant de continuer.
Plus loin, les enfants voient un banc de poissons.
« Un requin ! » lancent-ils avec un frisson.

Voici quelques plongeurs venus nager
parmi les poissons qui semblent apprivoisés.
« On dirait grand-maman », dit l'ami d'Éloi
Éloi ouvre grand les yeux pour mieux voir.

« Je me demande, dit Éloi en train de réfléchir,
combien il peut y avoir de poissons à nourrir.
Combien peut-il y avoir de cuves d'eau ? »
« Je parie qu'il y en a plus de mille ! » s'écrie Pedro.

C'est l'heure du repas des dauphins.
Quelques seaux de poissons vont calmer leur faim.
Le gardien tient des poissons au-dessus de l'eau.
Les dauphins viennent les chercher très haut.

Quelle belle journée les élèves ont eue !
Ils ont découvert de merveilleuses créatures.
Les élèves montent dans l'autobus moutarde.
« Que pensent les poissons quand ils *nous* regardent ? »

L'histoire

Les élèves ont lu cette histoire en classe pour se préparer à faire l'activité mathématique **Les détectives 4**. Ils ont utilisé le vocabulaire de position, résolu des problèmes de nombres et de mesures et construit un modèle avec des solides.

Discutons ensemble

- Quelle partie de l'histoire préfères-tu ?
- Que fait grand-maman pendant que les enfants regardent les bassins de poissons ?
- Penses-tu que tu aimerais travailler dans un aquarium ? Pourquoi ?
- Quel genre de travail le personnel de l'aquarium fait-il ?

Le coin lecture

Visitez la bibliothèque pour trouver d'autres livres intéressants sur les mesures, la masse et la capacité, les solides et les nombres.

Où seras-tu ?

Regarde le plan.
Fais un X sur
3 choses que
tu veux voir.
Trace une ligne pour
montrer que tu vas
d'un endroit à un
autre.
Écris une note pour
dire où tu t'en vas.

Chère enseignante, cher enseignant,
D'abord, je vais visiter ________________.
Suivez ces consignes pour me trouver.

____

____

Ensuite, je vais visiter ______________________.
Suivez ces consignes pour me trouver.

____

____

Enfin, je vais visiter ________________________.
Suivez ces consignes pour me trouver.

____

____

La taille d'un épaulard

Des faits amusants sur les épaulards
Un épaulard peut mesurer 7 mètres de longueur.
Un épaulard peut mesurer 2 mètres de largeur.
Un épaulard peut manger 18 seaux de poissons par jour.
Un épaulard peut avoir une masse égale à celle de 150 élèves de 2e année !

Lis les faits amusants sur les épaulards.
Environ combien d'élèves peuvent s'allonger tête contre pied à côté d'un épaulard ? Montre ton raisonnement.

Estime le nombre d'épaulards qui peuvent entrer dans ta classe.
Montre comment tu peux vérifier ton estimation.
Utilise des dessins, des nombres ou des mots.

Invente un problème de mesure sur les épaulards.
Résous ton problème.

Une nouvelle maison

Il y a 48 poissons dans le bassin.

Divise les poissons en groupes égaux dans 3 nouveaux bassins.

Combien de poissons y a-t-il dans chaque bassin ? _______
Utilise des jetons pour t'aider à résoudre le problème.
Montre ton raisonnement avec des dessins, des nombres ou des mots.

Divise les poissons en groupes égaux dans 8 nouveaux bassins.

Combien de poissons y a-t-il dans chaque bassin ? _______
Utilise des jetons pour t'aider à résoudre le problème.
Montre ton raisonnement avec des dessins, des nombres ou des mots.

Je construis un aquarium

Voici l'extérieur d'un aquarium.

Utilise des solides pour construire la maquette d'un aquarium.
Quels solides as-tu utilisés ?

Montre comment tu as fait ta maquette.
Utilise des dessins, des nombres ou des mots.

De l'art symétrique

Plie une feuille de papier en deux.
Ouvre ta feuille. Fais quelques traces de peinture d'un côté.
Replie la feuille de papier.
Appuie bien.

Ouvre ta feuille et observe ton chef-d'oeuvre symétrique !

Pour aller plus loin, découpe quelques figures et colle-les sur ton oeuvre.
Attention : si tu colles une figure d'un côté, fais la même chose de l'autre côté pour que ton oeuvre soit symétrique !

Des oeufs pour tous

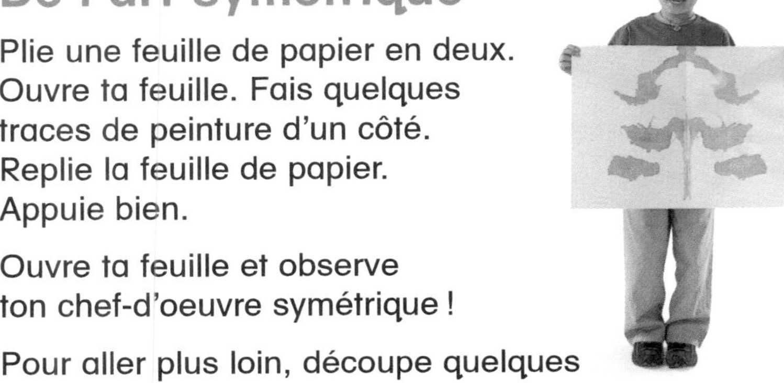

Prends une boîte à oeufs vide.
Mets un jeton dans chaque alvéole.
Imagine que tu organises un brunch à la maison.
Chaque convive mange le même nombre d'oeufs.
Vous mangez tous les oeufs.

Si chaque convive mange 2 oeufs, combien y a-t-il de convives à ton brunch ?

Si chaque convive mange 3 oeufs ?
Si chaque convive mange 4 oeufs ?
Si chaque convive mange 6 oeufs ?

Utilise des jetons pour t'aider à diviser.

Plier

Pas équitable

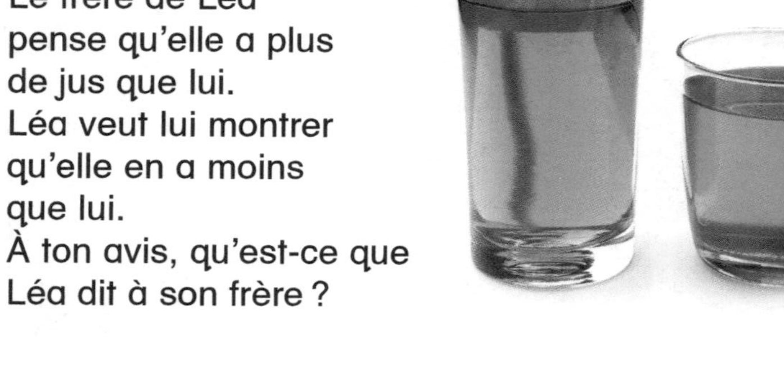

Le frère de Léa
pense qu'elle a plus
de jus que lui.
Léa veut lui montrer
qu'elle en a moins
que lui.
À ton avis, qu'est-ce que
Léa dit à son frère ?

Des fractions de sandwichs

Fais preuve de créativité.
Coupe ton sandwich d'une façon différente chaque jour.
Voici quelques idées :

Tout est possible !

Plateau de jeu « Décris-moi cette figure »

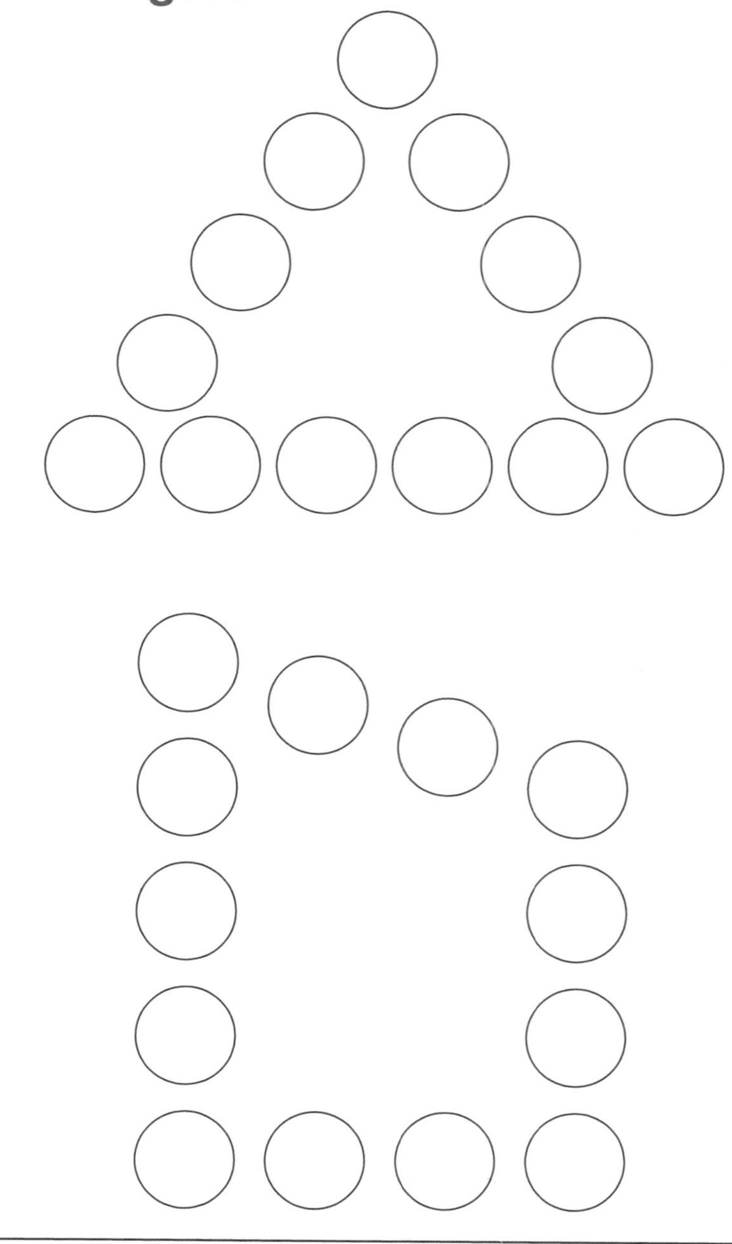

Décris-moi cette figure

Tu as besoin :
- de figures dans un sac opaque ;

- de jetons ;
- d'un plateau de jeu (*page 7*).

Avant de commencer à jouer, chaque joueuse ou joueur choisit une des figures de la planche de jeu (*page 7*).

Les règles du jeu :
- Tire une figure du sac. Dépose-la entre toi et ta ou ton camarade.
- En secret, chaque joueuse ou joueur écrit un attribut de la figure (nombre de côtés, longueur des côtés, nombre de coins).
- À tour de rôle, chacun lit sa description. Si les descriptions sont **différentes**, mets deux jetons sur la figure que tu as choisie. Si les descriptions sont **semblables**, ta ou ton camarade met un jeton sur sa figure.

Inversez les rôles. Le jeu se termine quand une figure est complétée.

Le jour du déménagement

Renaud peut transporter cette boîte :

Mais il n'arrive pas à transporter celle-ci :

À ton avis, qu'y a-t-il dans chaque boîte ?

Des figures en bâtonnets

Il faut 3 bâtonnets pour faire un côté d'un carré.

Combien de bâtonnets faut-il pour faire tout le carré ?

Il faut 3 bâtonnets pour faire un côté d'un hexagone. Combien de bâtonnets faut-il pour faire tout l'hexagone ?

De quelles autres façons peux-tu faire tout l'hexagone ?

Des mouvements amusants

Mets une ou un camarade au défi de suivre tes consignes.

Par exemple, tu peux dire :
Fais une rotation vers la gauche.
Fais une translation vers la droite.
Fais une rotation vers la droite.
Fais une translation vers l'avant.

Montre ta créativité ! Inversez les rôles.
Les transformations, c'est amusant !

La chasse aux longueurs

Trouve chez toi un objet
qui mesure environ :

- 3 empreintes de pied de longueur ;
- 4 doigts de largeur ;
- 2 bras de longueur ;
- 5 mains de largeur ;

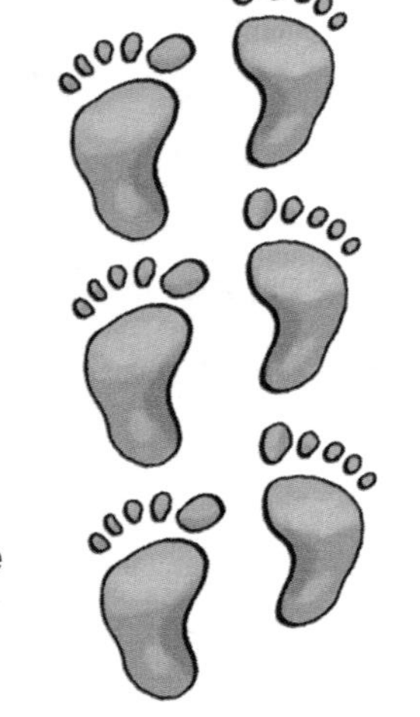

Fais des prédictions,
puis mesure l'objet.

À ton avis, qu'arrive-t-il si une ou
un adulte cherche un objet qui mesure
4 empreintes de pied de longueur ?

Une aire incroyable

Ce tableau se compose
uniquement de carrés.

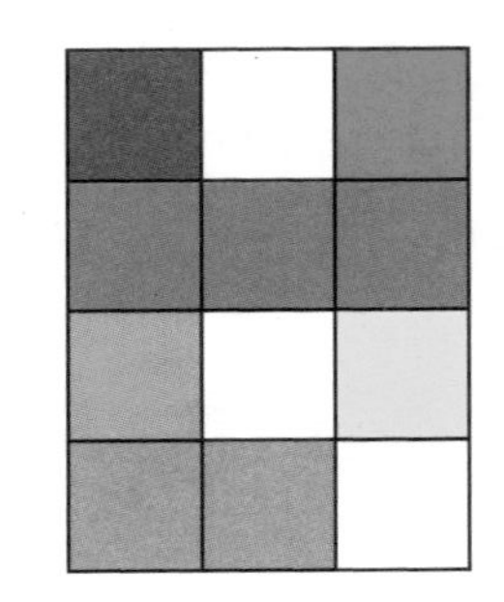

Il a une aire de ______ carrés.

Imagine que l'artiste veut encadrer
son tableau.
La distance autour du tableau est _____ unités.
(Un côté d'un carré mesure une unité.)

Imagine que l'artiste crée un autre tableau avec
les mêmes carrés.

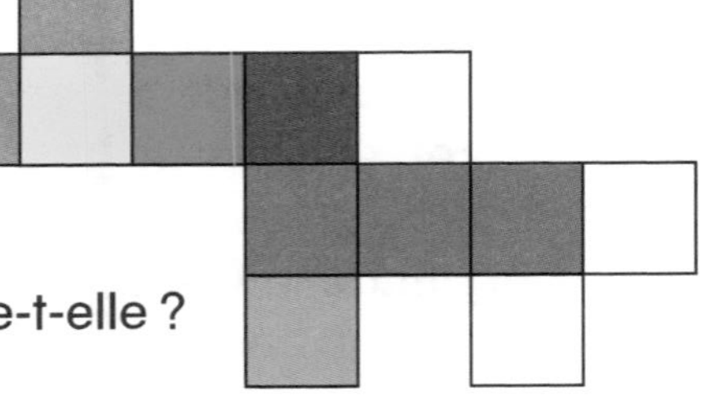

Comment l'aire
du tableau
change-t-elle ?

Comment la distance
autour du tableau change-t-elle ?

100 gouttes

Imagine que tu mets 100 gouttes
d'eau dans un verre.
Jusqu'où rempliras-tu le verre ?

Fais une prédiction, puis fais
l'expérience pour vérifier !
Est-ce que le résultat t'étonne ?